О.Е. Каган
А.С. Кудыма

УЧИМСЯ ПИСАТЬ ПО-РУССКИ

Экспресс-курс для двуязычных взрослых

Санкт-Петербург
«Златоуст»

2012

УДК 811.161.1

Каган, О.Е., Кудыма, А.С.

Учимся писать по-русски : экспресс-курс для двуязычных взрослых. — СПб. : Златоуст, 2012. — 240 с.

Kagan, O.E., Kudyma, A.S.

Let's write Russian : express course for bilingual adults. — St. Petersburg : Zlatoust, 2012. — 240 p.

Зав. редакцией: *А.В. Голубева*
Редактор: *И.В. Евстратова*
Корректор: *М.О. Насонкина*
Оригинал-макет: *Вера Хиггинс*

Пособие предназначено для двуязычных студентов, которые говорят по-русски в семье, но не обучались в русскоязычной школе или проучились в такой школе только короткое время. Оно может быть использовано и для студентов, изучающих русский язык как иностранный на продвинутом этапе (выше B1). Пособие сопровождается тремя приложениями.

Ключи к упражнениям можно получить на сайте издательства www.zlat.spb.ru.

ISBN 978-5-86547-577-4

Подготовка оригинал-макета: издательство «Златоуст».
Подписано в печать 20.09.11. Формат 84x108/16. Печ.л. 15. Печать офсетная. Тираж 3000 экз.
Код продукции: ОК 005-93-953005.

Санитарно-эпидемиологическое заключение на продукцию издательства Государственной СЭС РФ
№ 78.01.07.953.П.011312.06.10 от 30.06.2010 г.

Издательство «Златоуст»: 197101, Санкт-Петербург, Каменноостровский пр., д. 24, оф. 24.
Тел.: (+7-812) 346-06-68, факс: (+7-812) 703-11-79, e-mail: sales@zlat.spb.ru, http://www.zlat.spb.ru

Отпечатано в Китае.
C&C Joint Printing Co. (Beijing), Ltd.

Нашим бабушкам посвящается

Предисловие

Это пособие предназначено для двуязычных студентов, которые говорят по-русски в семье, но не обучались в русскоязычной школе или проучились в такой школе только короткое время. Таких студентов можно назвать учащимися с русским языком как семейным. Отбор правил правописания и пунктуации основан на исследованиях устной и письменной речи таких учащихся, а также на более чем десятилетнем опыте работы.

Особенность этих студентов заключается в том, что, как правило, они хорошо понимают русскую речь на слух и могут говорить, хотя и с ошибками, и их лексический запас ограничен ситуациями домашнего общения. Возможно, что они никогда не учились читать и писать или умеют читать и писать лишь немного. В результате этого они часто пишут фонетически, иными словами, пишут то, что слышат. Поэтому при обучении правописанию мы сосредоточились на таких темах, как безударные гласные, оглушение согласных, правописание предлогов, частиц, приставок. Мы не приводим правила написания падежных окончаний и спряжения глаголов, т. к. ожидаем, что в дополнение к данному пособию студенты также пройдут хотя бы элементарный курс русской грамматики.

Пунктуация русского языка отличается от пунктуации других языков, на которых студенты с русским языком как семейным получают образование. Как и с правописанием, мы остановились на тех правилах пунктуации, которые вызывают наибольшие трудности, но, учитывая, что пособие соответствует Первому сертификационному уровню (общее владение), не стали вводить некоторые более сложные правила. Кроме того, нами были учтены некоторые особенности пунктуации других языков. Например, мы ввели информацию о том, что обстоятельства места и времени в русском языке не выделяются запятыми, т. к. в некоторых языках, например в английском, они запятыми выделяются. Большое внимание уделяется также сложным предложениям и различным средствам связи, так как для студентов с семейным русским языком типично писать так же, как они говорят, а именно употребляя в основном простые предложения.

Пособие начинается с обучения чтению и письму (первые четыре главы). Эти главы можно пропустить или быстро просмотреть, если студенты уже умеют писать. Последующие главы организованы тематически, и в каждой главе даются средства связи, упражнения на организацию и структуру абзацев, на построение текста. В пособии есть задания разнообразных письменных жанров, таких как имейл, блог, интернет-форум, письмо и т. д. Мы старались идти от более простых тем и жанров, требующих описания ситуации, к более сложным, в которых нужно выражать и аргументировать своё мнение. Поэтому в первых главах внимание в основном уделяется жизни самого студента (биография, детство, история семьи), но постепенно вводятся такие темы, как путешествия, экология, демография и пр. Тексты частично адаптированы.

Пособие позволяет как последовательное прохождение глав, так и отбор тех глав и тем, которые наиболее важны для данной группы студентов. Мы ожидаем, что в результате прохождения всего курса студенты смогут писать по-русски на Первом сертификационном уровне с некоторыми элементами Второго уровня.

Пособие может быть использовано и для студентов, изучающих русский язык как иностранный на продвинутом этапе. В таком случае, конечно, первые главы нужно опустить.

Пособие сопровождается тремя приложениями. В приложении 1 находятся задания для самоконтроля с ключами. В приложении 2 находится краткий перечень способов связи предложений, список речевых средств связи и др. (шпаргалка 1), правил правописания (шпаргалка 2), правил пунктуации (шпаргалка 3). Тексты диктантов и изложений находятся в приложении 3.

В пособии используются материалы Интернета и отрывки из художественных произведений. Основными источниками информации по правописанию, пунктуации и организации текста являются: Розенталь Д.Э. Справочник по правописанию и стилистике; Колесова Д.В., Харитонов А.А. Золотое перо. СПб. : Златоуст, 2007; “Russian for Russians” by O. Kagan; T. Akishina, R. Robin : Slavica Publishers, 2002[1].

Во всех текстах для чтения проставлены ударения. Ударения стоят также в некоторых заданиях, которые рекомендуются для проговаривания вслух. Исследования показывают, что на начальных этапах овладения навыком письма проговаривание играет важную роль.

Пособие может быть использовано как для работы в группе, с преподавателем, так и для домашней работы. Также возможно самостоятельное прохождение материала.

Ключи к упражнениям можно получить на сайте издательства www.zlat.spb.ru.

---

[1] Для справки вы можете использовать также следующие источники: *Правила русской орфографии и пунктуации. Полный академический справочник / под ред. В.В. Лопатина. М. : Эксмо, 2006* (и более поздние издания), а также ресурсы интернет-портала «Грамота.ру»: http://www.gramota.ru/spravka/rules/. — *Прим. ред.*

Содержание

Содержание

Алфавит

Печатные буквы	Письменные буквы
А а	*А а*
Б б	*Б б*
В в	*В в*
Г г	*Г г*
Д д	*Д д*
Е е	*Е е*
Ё ё	*Ё ё*
Ж ж	*Ж ж*
З з	*З з*
И и	*И и*
Й й	*Й й*
К к	*К к*
Л л	*Л л*
М м	*М м*
Н н	*Н н*
О о	*О о*
П п	*П п*
Р р	*Р р*
С с	*С с*
Т т	*Т т*
У у	*У у*
Ф ф	*Ф ф*
Х х	*Х х*
Ц ц	*Ц ц*
Ч ч	*Ч ч*
Ш ш	*Ш ш*
Щ щ	*Щ щ*
ъ	*ъ*
ы	*ы*
ь	*ь*
Э э	*Э э*
Ю ю	*Ю ю*
Я я	*Я я*

Алфавит. Звуки и буквы

1 ГЛАВА

В этой главе:
1. Звуки и буквы.
2. Буквы М, П, С, Б, Р, Т, А, Е, О, Я, Э.
3. Согласные: твёрдые и мя́гкие.
4. Мягкий знак (Ь).
5. Слоги.

1-1 | Читайте.

Моя́ семья́

ма́ма

па́па

я

1-2 | Слушайте и повторяйте.

Согласные	м, п, с
Гласные	а, е, о, я
Мягкий знак – ь	

1-3 | Читайте.

ма
мя
ма́-ма
мо
я
мо-я́
мо-я́ ма́-ма

са
ма́с-са
сам
са-ма́
ся
со
се

сем
семь
се-мья́
мо-я́ се-мья́
па
пя
па́-па

1-4 | Разделите на слова.

саммамапапасемьяямоясама

1-5 | Найдите письменные эквиваленты.

Печатные буквы	Письменные буквы
м	*м*
п	*п*
с	*а*
а	*о*
е	*е*
о	*я*
я	*ь*
ь	*с*

1-6 | Пишите.

М

м

А

а

ма

П

п

па

с

е

се

сем

Я

я

моя

ь

семья

1-7 | Составьте из слогов слова и напишите их.

ма па са па ма мас мья се

1. ______________ 3. ______________

2. ______________ 4. ______________

1-8 | Диктант. Допишите слово.

1) *ма* ______________ 3) *сем* ______________ 5) *мо* ______________

2) *па* ______________ 4) *семь* ______________ 6) *са* ______________

1-9 | Слушайте и повторяйте.

Согласные	м, п, с, б, р, т
Гласные	а, е, о, я, э
Мягкий знак – ь	

1-10 | Читайте.

то	там	ба
тот	Та-ма́-ра	ба́-ба
Том	сест-ра́	бар
То́-ма	ра	брат
торт	раб	брать
э́-то	ро	пять
э́-тот	Ро́-ма	ра-бо́-та
те	ре	ра-бо́-тать
тем	мо́-ре	ро́-бот
те́-ма	бо	рот
та	Бо́-ря	

1-11 | Читайте.

Э́то моя́ семья́

Э́то ма́ма. Э́то па́па. Э́то я. Э́то сестра́. Э́то брат.

1-12 | Найдите письменные эквиваленты.

Печатные буквы	Письменные буквы
м	*а*
п	*о*
с	*е*
е	*я*
э	*ь*
р	*с*
т	*п*
я	*м*
а	*р*
ь	*т*
о	*э*

1-13 | Пишите.

Б ______________________

б ______________________

Р ______________________

р ______________________

бр ______________________

Т ______________________

т ______________________

брат ______________________

Э ______________________

э ______________________

эт ______________________

это ______________________

этот ______________________

Тамара ______________________

1-14 | Разделите слова на слоги.

ма́ма   па́па   моя́   мя́со   брат   сестра́   мо́ре   я́ма

1-15 | Какое это слово? Расставьте буквы правильно.

1) ремо ____________ 5) сетрас ____________ 9) асм ____________

2) мьсе ____________ 6) ортт ____________ 10) отэ ____________

3) тяпь ____________ 7) аппа ____________ 11) мая ____________

4) табр ____________ 8) абба ____________ 12) оям ____________

1-16 | Перепишите.

Моя семья

Это мама. Это папа. Это я. Это моя сестра Тамара.

Это брат Боря.

____

____

____

____

ЭТО НАДО ЗНАТЬ!

Звуки и буквы
Звуки мы слышим, а буквы мы пишем. В русском алфавите 33 буквы. Есть согласные (например, М, П, С), и есть гласные (например, А, Е, О, Я).

Согласные звуки: твёрдые и мягкие
Согласные звуки могут произноситься твёрдо и мягко. Пишите гласные буквы А, О, Э после согласных, если согласные произносятся твёрдо, например, *брат*. Пишите гласные Е, Я после согласных, если согласные произносятся мягко, например, *пять*.

Мягкий знак
Мягкий знак (ь) никакого звука не обозначает. Он пишется после согласных в конце или в середине слова, когда согласный произносится мягко, например: *семь*, *письмо*. Перед некоторыми гласными, например Е, Я, мягкий знак пишется, чтобы разделить согласные и гласные звуки, например, *семья*.

Слоги
Русские слова делятся на слоги. Слоги в словах образуются гласными звуками. Число слогов всегда равно числу гласных. Например: *ма-ма* – 2 слога, *брат* – 1 слог. Перенос слов на письме делается по слогам. Одиночные гласные не переносятся. Например, можно перенести так: *се-стра, сест-ра*; нельзя: *мо-я, я-блоко*.

1-17 | Диктант. Согласные звуки: твёрдые и мягкие. Слушайте и пишите.

____

____

1-18 | Диктант. Мягкий знак. Прослушайте и впишите, где надо, пропущенные буквы.

1) пят_
2) спят_
3) мат_
4) брат_
5) брат_
6) мят_
7) спат_
8) пет_
9) сем_
10) работат_
11) ест_
12) ест_
13) сест_
14) мест_
15) сосат_
16) попаст_
17) брат_я
18) сем_я

ГЛАВА 2

Алфавит. Моя семья

В этой главе:
1. Буквы К, Н, Ж, В, И, У, Ё.
2. Согласные: твёрдые и мягкие, сочетания ЖИ, ЖЕ.
3. Гласные под ударением.
4. Большая (прописная) буква.
5. Блог Светы Ивановой «Моя семья».

2-1 | Повторение: читайте и пишите.

Э́то моя́ семья́. ______________________________

Э́то моя́ ма́ма и моя́ сестра́. ______________________________

Э́то моя́ сестра́ Тама́ра. ______________________________

Э́то брат. ______________________________

Э́то Бо́ря, а э́то Ро́ма. ______________________________

Э́то па́па. ______________________________

2-2 | Повторение: читайте, разделите слова на слоги.

Ро́ма	Бо́ря	сестра́	моя́
Тама́ра	па́па	брат	я́блоко

2-3 | Слушайте и повторяйте.

Согласные	м, п, с, б, р, т, к, н, ж, в
Гласные	я, а, е, о, э, и, у, ё
Мягкий знак – ь	

2-4 | Читайте. Разделите многосложные слова для переноса.

ма
вот
Во́ва
Ва́ря
весь
всё
все
вопро́с
вре́мя
весна́
на

нет
нос
нёс
не́бо
И́ра
Ири́на
и́мя
и́мпорт
интере́с
исто́рик
исто́рия

Же́ня
жить
живёт
живу́т
живу́
жук
жара́
жена́
кот
кто
кит

Ка́тя
ко́мпас
ура́
уро́к
уже́
у́жин
уме́ть
у́тро
университе́т

2-5 | Пишите.

К ______________________________

к ______________________________

кто ______________________________

кот ______________________________

Н ______________________________

н ______________________________

на ________________________________

нет ________________________________

Ж ________________________________

ж ________________________________

И ________________________________

и ________________________________

жи ________________________________

жить ________________________________

У ________________________________

у ________________________________

жук ________________________________

ум ________________________________

ура ________________________________

В ________________________________

в ________________________________

вот ________________________________

Вова ________________________________

ё ________________________________

моё ________________________________

живёт ________________________________

Женя ________________________________

2-6 | Найдите письменные эквиваленты.

Печатные буквы	Письменные буквы
1) брат	____ книга
2) вот	____ жук
3) жук	____ вот
4) он	____ он
5) книга	____ она
6) они	____ они
7) она	____ брат

2-7 | Имена. Читайте. Выпишите в одну колонку мужские, а в другую – женские имена. Разделите имена на слоги для переноса.

А́нна, Се́ва, Ва́ря, Ва́ня, Ива́н, Же́ня, Ве́ра, Ка́тя, Ни́на, Тама́ра, Мари́я, Све́та, Та́ня, И́ра, Мари́на, Серёжа, Пётр, Анто́н, То́ня, Бо́ря, Макси́м, Ви́тя

Мужски́е имена́	**Же́нские имена́**
______________________	______________________
______________________	______________________
______________________	______________________
______________________	______________________
______________________	______________________
______________________	______________________

Мужски́е имена́

____
____
____
____
____

Же́нские имена́

____
____
____
____
____

2-8 | Города. Читайте. Напишите названия городов в алфавитном порядке.

1. Томск
2. Омск
3. Москва́
4. Сама́ра
5. Пермь
6. Воро́неж
7. Ирку́тск
8. Ке́мерово
9. Оренбу́рг
10. Иже́вск
11. Тверь
12. Яку́тск
13. Ку́рск
14. Братск
15. Му́рманск
16. Ива́ново
17. Тамбо́в
18. Абака́н

А ______________________

Б ______________________

В ______________________

И ______________________

К ______________________

М ______________________

О ______________________

П ______________________

С ______________________

Т ______________________

Я ______________________

2-9 | Диктант. Напишите диктант. Расставьте ударения в словах.

1. ____________________
2. ____________________
3. ____________________
4. ____________________
5. ____________________
6. ____________________
7. ____________________
8. ____________________
9. ____________________
10. ____________________

2-10 | Блог. Читайте.

Моя́ семья́

Э́то я. Э́то моя́ семья́. Э́то моя́ ма́ма. Э́то па́па. Э́то моя́ сестра́ Тама́ра и брат Бо́ря. А э́то моя́ соба́ка Му́ся и кот Ва́ся. Моя́ семья́ живёт в Росси́и, в Москве́. Ма́ма рабо́тает в Моско́вском теа́тре Сати́ры. Она́ актри́са. А па́па рабо́тает в ба́нке. Он экономи́ст. Тама́ра, моя́ сестра́, живёт в О́мске. Она́ рабо́тает в О́мском институ́те эконо́мики. Она́ то́же экономи́ст, как и па́па. Бо́ря, мой брат, – студе́нт. В свобо́дное вре́мя он рабо́тает в рестора́не. Пока́ всё!!!

Све́та Ивано́ва

2-11 | Прочитайте блог Светы Ивановой ещё раз и выпишите из текста необходимую информацию.

1. Э́то моя́ сестра́ ______________ и _____________Бо́ря.
2. Моя́ семья́ живёт в _______________, в_____________.
3. Ма́ма рабо́тает в _____________________________.
4. Моя́ ма́ма______________________________.
5. Па́па ____________________________ в ба́нке.
6. Он ____.
7. Тама́ра рабо́тает в _____________________________________.
8. Тама́ра ___________________________.
9. Бо́ря рабо́тает в ____________________________.
10. Бо́ря _____________________________________.

ПРАВОПИСАНИЕ

Согласные звуки: твёрдые и мягкие

1. Согласные звуки могут произноситься твёрдо и мягко. Пишите гласные **А**, **О**, **Э**, **У** после согласных, если согласные произносятся твёрдо, например, *муж*. Пишите гласные **Е**, **Я**, **И**, **Ё** после согласных, если согласные произносятся мягко, например, *пить*.
2. Звук [**Ж**] всегда произносится твёрдо, но сочетание **ЖИ** всегда пишется с буквой **И**, а сочетание **ЖЕ** всегда пишется с **Е**.

ЗАПОМНИТЕ!

Слышим	Пишем	Пример
[ЖЫ]	ЖИ	**жи**ть
[ЖЭ]	ЖЕ	**Жé**ня

Гласные
Гласные под ударением пишутся так же, как произносятся (например, *море*, *Костя*).

Слышим	Пишем	Пример
[О]	О	м**ó**ре

Большая буква
В русском языке с большой буквы пишутся имена собственные. Имена собственные – это имена, фамилии, отчества людей, клички животных, названия городов, стран и континентов, например: *Анна*, *город Киев*, *собака Муся*. В названиях книг, фильмов, рассказов, повестей, докладов, организаций, компаний и т. п.[1] только первое слово пишется с большой буквы, например: *роман «Война и мир»*, *Московский университет*. Предложение всегда начинается с большой буквы.

2-12 | Диктант. Согласные звуки: твёрдые и мягкие. Слушайте и пишите.

____

____

____

[1] И т. п. – и тому́ подо́бное.

2-13 | Диктант. Сочетания ЖИ, ЖЕ. Впишите пропущенные буквы.

1) ж_ть
2) ж_ву
3) ж_на
4) ж_нат
5) ёж_к
6) еж_
7) уж_н
8) уж_
9) друж_ть
10) ж_р
11) беж_т
12) уж_нать
13) Ж_ня
14) ж_вать
15) ж_в
16) ж_нский
17) ж_вопись
18) ж_тель
19) лыж_
20) тож_

2-14 | Гласные под ударением. Впишите пропущенные буквы.

1) м_ре
2) т_же
3) жд_ть
4) м_со
5) В_ва
6) в_т
7) жив_т
8) В_ся
9) б_нк

2-15 | Большая буква. Найдите слова, которые надо писать с большой буквы. Напишите их правильно.

1) ивано́вы
2) евро́па
3) соба́ка
4) аме́рика
5) росси́я
6) ма́ма
7) брат
8) бори́с
9) сестра́
10) москва́
11) эсто́ния
12) туркмениста́н
13) а́нна
14) му́рка
15) ви́ктор
16) тама́ра
17) институ́т
18) банк
19) океа́н
20) мо́ре
21) анто́н
22) ива́н
23) пакиста́н
24) ни́на

ГЛАВА 3

Алфавит. О себе

В этой главе:

1. Буквы Д, З, Л, Ч, Ш, Ю.
2. Согласные: твёрдые и мягкие, сочетания ЖИ-ШИ, ЖЕ-ШЕ, ЧА, ЧУ.
3. Мягкий знак (Ь).
4. Написание предлогов со словами.
5. Блог Виктора «О себе».

3-1 | Повторение: читайте и пишите.

1. Э́то моя́ семья́.

   Э́то ______________________________

2. Э́то моя́ сестра́ Та́ня и брат Ви́тя. ______________________________

   ______________ *Та́ня и* ______________ *Ви́тя.*

3. Я живу́ в Москве́.

   ____

4. Я студе́нт. ______________________________

5. Моя́ сестра́ – студе́нтка.

   ____

6. Брат рабо́тает в теа́тре.

   ______________ *рабо́тает* ______________

3-2 | Слушайте и повторяйте.

Согласные	м, п, с, б, р, т, к, н, ж, в, д, з, л, ч, ш
Гласные	я, а, е, о, э, и, у, ё, ю
Мягкий знак – ь	

3-3 | Читайте. Разделите слова для переноса.

да
два
да́же
давно́
день
де́сять
до
дом
дя́дя
дру́жба
за
зада́ние
за́нят
здоро́в
здоро́ва
ла́мпа
лета́ть
литерату́ра
час
что
ча́сто
что́-то
чем
челове́к
чита́ть
чуть-чу́ть
шум
шесть
шко́ла
шко́льник
шути́ть
Ю́ра
ю́мор
юри́ст

3-4 | Разделите на слова.

дядячточеловекюристдавнолетатьшестьдомзанят

3-5 | Найдите письменные эквиваленты.

Печатные буквы	Письменные буквы
д	*л*
з	*д*
л	*ю*
ч	*з*
ш	*ч*
ю	*ш*

3-6 | Пишите.

Д

д

два

З

з

завтра

Л

л

лоб

Ч

ч

что

Ш

ш

школа

Ю

ю

Юля

3-7 | Найдите письменные эквиваленты.

Печатные буквы	Письменные буквы
1) любовь	____ *здесь*
2) дя́дя	____ *час*
3) здесь	____ *шесть*
4) час	____ *Юра*
5) шесть	____ *дядя*
6) Юра	____ *любовь*

3-8 | Составьте из слогов слова и напишите.

за дя да то ча дя ла час шко

1. ______________________ 3. ______________________

2. ______________________ 4. ______________________

3-9 | Что изучают в университете? Читайте. Разделите для переноса. Напишите названия предметов в алфавитном порядке.

матема́тика
литерату́ра
исто́рия

биоло́гия
астроно́мия
анато́мия

бота́ника
рисова́ние
пе́ние

иску́сство
черче́ние
эконо́мика

А ______________________

Б ______________________

И ______________________

Л ______________________

М ______

П ______

Ч ______

Р ______

Э ______

3-10 | Диктант. Напишите диктант, расставьте ударения в словах.

1. ______
2. ______
3. ______
4. ______
5. ______
6. ______
7. ______
8. ______
9. ______

3-11 | Блог Виктора. Читайте.

О себе́

Меня́ зову́т Ви́ктор, мо́жно про́сто Ви́тя. Мне 19 лет. Я роди́лся в Москве́ и живу́ здесь всю жизнь. В э́том году́ я око́нчил сре́днюю шко́лу и поступи́л в университе́т. Тепе́рь я студе́нт! Ма́ма о́чень ра́да! Па́па то́же. Меня́ интересу́ет эконо́мика и поли́тика. Я изуча́ю микроэконо́мику, макроэконо́мику, тео́рию стати́стики… О́чень интере́сно!

Учу́сь я днём, а по вечера́м рабо́таю в библиоте́ке. Мне нра́вится рабо́тать в библиоте́ке, потому́ что там у меня́ есть возмо́жность чита́ть и занима́ться. В свобо́дное вре́мя я занима́юсь спо́ртом и́ли встреча́юсь с друзья́ми.

3-12 | Прочитайте рассказ Виктора ещё раз и выпишите необходимую информацию.

1. Ви́ктор роди́лся ______________________________.
2. Ви́тя живёт в Москве́ ______________________________.
3. Он око́нчил __________________ и поступи́л в __________________.
4. Тепе́рь он ______________________________.
5. Ви́ктор изуча́ет ______________________________________.
6. Ви́ктор днём ________________, а ве́чером ___________________.
7. Он рабо́тает в______________________________.
8. Ему́ нра́вится рабо́тать в библиоте́ке, потому́ что ______________

   ____.
9. В свобо́дное вре́мя Ви́ктор ______________________________

   ____.

ПРАВОПИСАНИЕ

Согласные звуки: твёрдые и мягкие

1. Согласные звуки могут произноситься твёрдо и мягко. Пишите гласные **А**, **О**, **Э**, **У** после согласных, если согласные произносятся твёрдо, например, *муж*. Пишите гласные буквы **Е**, **Я**, **И**, **Ё**, **Ю** после согласных, если согласные произносятся мягко, например, *пить*.
2. Звуки [**Ж**] и [**Ш**] всегда произносятся твёрдо, но сочетания **ЖИ** и **ШИ** всегда пишутся с буквой **И**, а сочетания **ЖЕ** и **ШЕ** всегда пишутся с **Е**, например, *жить*, *Женя*, *пиши*, *шесть*.
3. Звук [**Ч**] всегда произносится мягко, но сочетание **ЧА** пишется с буквой **А**, а сочетание **ЧУ** пишется с буквой **У**, например, *час*, *часто*, *чуть-чуть*.

ЗАПОМНИТЕ!

Слышим	Пишем	Пример
[ЖЫ]	ЖИ	ж**и**ть
[ШЫ]	ШИ	ш**и**ть
[ЖЭ]	ЖЕ	Ж**é**ня
[ШЭ]	ШЕ	ш**е**сть
[ЧЯ]	ЧА	ч**á**сто
[ЧЮ]	ЧУ	хоч**ý**

Мягкий знак (Ь)

1. Мягкий знак (Ь) пишется после согласного в конце или в середине слова, когда мы слышим, что согласный произносится мягко, например, *сем**ь***, *пис**ь**мо*.
2. Перед гласными **Е**, **Ё**, **Ю**, **Я**, **И** мягкий знак (Ь) пишется, чтобы разделить согласные и гласные звуки, например, *сем**ья***, *п**ью***, *плат**ье***.

Написание предлогов со словами

Предлоги пишутся отдельно от других слов. Например: *Я родился **в** Москве. Я живу **на** Аляске.*

3-13 | Диктант. Согласные звуки: твёрдые и мягкие. Слушайте и пишите.

____

3-14 | Диктант. Сочетания ЖИ-ШИ, ЖЕ-ШЕ, ЧА, ЧУ. Впишите пропущенные буквы.

1) ж_ву 2) уш_ 3) ш_ть 4) ёж_к

5) крич_
6) хоч_
7) тиш_на
8) наш_
9) ваш_
10) ч_ть-ч_ть
11) молч_
12) пиш_
13) луж_
14) уж_н
15) держ_
16) ж_знь
17) друж_ть
18) ч_жой
19) стуч_
20) ж_р
21) ж_вот
22) ш_шки
23) беж_т
24) леж_т
25) ч_с
26) туч_
27) дач_
28) задач_
29) ч_сто
30) ж_нский
31) ж_вопись
32) ж_нат

3-15 | Диктант. Мягкий знак. Впишите пропущенные буквы.

1) мал_чик
2) здес_
3) читат_
4) очен_
5) осен_
6) учус_
7) работат_
8) любов_
9) шутит_
10) шут_
11) тепер_
12) встречаюс_
13) плат_е
14) п_ю
15) нал_ю
16) брат_
17) брат_я
18) стул_
19) стул_я
20) десят_
21) пис_мо
22) бол_ше
23) мен_ше
24) пал_то
25) лист_
26) лист_я
27) дерев_я
28) осен_ю

3-16 | Предлоги. Разделите на слова и перепишите.

1. МашаживётвОмске.
2. Вечеромидукмаме.
3. ЛёняродилсявоВладивостоке.
4. Братработаетвбанке.
5. Всвободноевремяявстречаюсьсдрузьями.
6. Мненравитсяработатьвшколе.

ГЛАВА 4

Алфавит. Личная страничка

В этой главе:
1. Буквы Г, Ф, Х, Ц, Щ, Й, Ы, Ъ.
2. Согласные: твёрдые и мягкие, сочетания ЖИ-ШИ, ЖЕ-ШЕ, ЧА-ЩА, ЧУ-ЩУ.
3. Передача на письме звука [Й].
4. Твёрдый знак (Ъ).
5. Текст «Личная страничка Марины Смирновой».

4-1 | Повторение: читайте и пишите.

1. Меня́ зову́т Ива́н. ______________________.
2. Меня́ зову́т А́ня. ______________________.
3. Мне де́сять лет. ______________________.
4. Я роди́лся в Москве́. ______________________.
5. Я родила́сь в Москве́. ______________________.
6. Я учу́сь в шко́ле. ______________________.
7. Я изуча́ю биоло́гию. ______________________.
8. Я люблю́ чита́ть. ______________________.

4-2 | Слушайте и повторяйте.

Согласные	м, п, с, б, р, т, к, н, ж, в, д, з, л, ч, ш, г, ф, х, ц, щ, й
Гласные	я, а, е, о, э, и, у, ё, ю, ы
Мягкий знак – ь Твёрдый знак – ъ	

4-3 | Читайте. Разделите слова на слоги для переноса.

год	центр	мой	фильм	хорошо́	музе́й
был	цвет	факс	го́род	цирк	голубо́й
царь	щи	хлеб	го́лос	ци́фра	футбо́л
где	стою́	хо́бби	гита́ра	хокке́й	февра́ль
гора́	пой	гото́в	факт	фру́кты	гро́мко

4-4 | Найдите письменные эквиваленты.

Печатные буквы	Письменные буквы
г	*щ*
ф	*й*
х	*г*
ц	*ф*
щ	*ц*
ы	*х*
й	*ы*

4-5 | Пишите.

Г ____________________

г ____________________

где ____________________

Ф ____________________

ф ____________________

физика ____________________

Х ______________________________

х ______________________________

хор ______________________________

Ц ______________________________

ц ______________________________

центр ______________________________

Щ ______________________________

щ ______________________________

щи ______________________________

ы ______________________________

мы ______________________________

4-6 | Найдите письменные эквиваленты.

Печатные буквы	Письменные буквы
1) ци́фра	__ *отдых*
2) газе́та	__ *май*
3) о́тдых	__ *щётка*
4) май	__ *газета*
5) футбо́л	__ *хоккей*
6) хокке́й	__ *футбол*
7) щётка	__ *цифра*

4-7 | Дни недели. Читайте. Перепишите. Обратите внимание, что дни недели пишутся в русском языке с маленькой буквы.

понеде́льник ______________ пя́тница ______________

вто́рник ______________ суббо́та ______________

среда́ ______________ воскресе́нье ______________

четве́рг ______________

4-8 | Читайте. Соедините правую и левую колонки.

1	___ де́вять
3	___ оди́н
4	___ шесть
6	___ три
8	___ двена́дцать
9	___ четы́ре
11	___ во́семь
12	___ два́дцать
13	___ оди́ннадцать
14	___ восемна́дцать
15	___ семна́дцать
16	___ девятна́дцать
17	___ трина́дцать
18	___ миллио́н
19	___ ты́сяча
20	___ четы́рнадцать
1000	___ пятна́дцать
1 000 000	___ шестна́дцать

4-9 | Месяцы. Читайте. Напишите, какие месяцы зимние, весенние, летние и осенние. Обратите внимание, что названия месяцев пишутся с маленькой буквы.

а́вгуст, апре́ль, янва́рь, ноя́брь, февра́ль, октя́брь, дека́брь, май, ию́нь, сентя́брь, март, ию́ль

Зима́: ______________________________

Весна́: ______________________________

Ле́то: ______________________________

О́сень: ______________________________

4-10 | Напишите числа словами.

4 ____________ 15 ____________

6 ____________ 16 ____________

7 ____________ 17 ____________

8 ____________ 18 ____________

11 ____________ 20 ____________

12 ____________ 9 ____________

4-11 | Диктант. Напишите диктант, расставьте ударения в словах.

1. ____________ 7. ____________
2. ____________ 8. ____________
3. ____________ 9. ____________
4. ____________ 10. ____________
5. ____________ 11. ____________
6. ____________

4-12 | Личная страничка Марины Смирновой. Читайте.

Я родила́сь 28 января́ 1987 го́да в небольшо́м городке́ Подо́льске недалеко́ от Москвы́. В три го́да я пошла́ в де́тский сад, где была́ послу́шным ребёнком, не балова́лась и вела́ себя́ хорошо́. Ещё в де́тском саду́ я поступи́ла в музыка́льную шко́лу по кла́ссу фортепиа́но, но через полтора́ го́да бро́сила, потому́ что осо́бого тала́нта у меня́ не́ было.

В шко́лу я пошла́ в семь лет. Учи́ться в мла́дших кла́ссах мне не нра́вилось, бы́ло тяжело́. В пя́том кла́ссе я заняла́сь рисова́нием и поступи́ла в де́тскую худо́жественную шко́лу, кото́рую око́нчила на отли́чно.

В сре́дней шко́ле у меня́ появи́лось мно́жество интере́сов: занима́лась вышива́нием, рисова́нием, фотогра́фией... Мне понра́вилось учи́ться, и оказа́лось, что это не так уж и тяжело́. Люби́мыми предме́тами бы́ли матема́тика и ру́сская литерату́ра.

По́сле оконча́ния шко́лы я поступи́ла в Институ́т эконо́мики г. Подо́льска по специа́льности «Фина́нсы и креди́т». Начала́ занима́ться спо́ртом, игра́ла в волейбо́л. С тре́тьего ку́рса моя́ жизнь о́чень измени́лась, так как тепе́рь я жила́ в общежи́тии. Ста́ла почти́ самостоя́тельным челове́ком. Расши́рился кругозо́р. Появи́лись но́вые друзья́. А в про́шлом году́ я око́нчила бакалавриа́т на отли́чно и поступи́ла в магистрату́ру.

4-13 | Прочитайте о Марине Смирновой ещё раз и напишите ответы на вопросы.

1. Где родила́сь и вы́росла Мари́на Смирно́ва?

____

2. Когда́ Мари́на родила́сь?

____

3. Где она́ учи́лась?

____

4. Где Мари́на сейча́с у́чится?

5. Каки́е у неё бы́ли интере́сы в сре́дней шко́ле?

6. Чем Мари́на начала́ занима́ться в институ́те?

7. Почему́ жизнь Мари́ны измени́лась на тре́тьем ку́рсе?

8. Как измени́лась жизнь Мари́ны?

4-14 | Создайте свою интернет-страничку. Напишите о себе. Данные вопросы помогут вам.

1. Как вас зову́т?
2. Кто вы?
3. Где и когда́ вы родили́сь?
4. Ско́лько вам лет?
5. Кака́я у вас семья́?
6. Кто ва́ши роди́тели?
7. Где вы живёте сейча́с?
8. Вы у́читесь и́ли рабо́таете? Где?
9. Что вы лю́бите де́лать в свобо́дное вре́мя?

ПРАВОПИСАНИЕ

Согласные: твёрдые – мягкие

1. Согласные звуки могут произноситься твёрдо и мягко. Пишите гласные **А**, **О**, Э, **У**, **Ы** после согласных, если согласные произносятся твёрдо, например, *мыть*. Пишите гласные буквы **Е**, **Я**, **И**, **Ё**, **Ю** после согласных, если согласные произносятся мягко, например, *пить*.
2. Звуки [Ж] и [Ш] всегда произносятся твёрдо, но сочетания **ЖИ** и **ШИ** всегда пишутся с буквой **И**, а сочетания **ЖЕ** и **ШЕ** всегда пишутся с **Е** или с **Ё**, например, *жить*, *Женя*, *пиши*, *жёлтый*.
3. Звуки [Ч] и [Щ] всегда произносятся мягко, но сочетания **ЧА**, **ЩА** пишутся с буквой **А**, а сочетания **ЧУ**, **ЩУ** пишутся с буквой **У**, например, *час*, *чуть-чуть*, *обещать*, *поищу*.

Передача на письме звука Й

Звук [Й] передаётся на письме буквой **Й**, например, *мой*, *музей*. Никогда не пишите ЙА, ЙЭ, ЙО, ЙУ. Всегда пишите Я, Е, Ё, Ю. Исключения: *йога, йогурт, йод, фойе, йота* и др.

ЗАПОМНИТЕ!

Слышим	Пишем	Пример
[ЖЫ]	ЖИ	ж**и**ть
[ШЫ]	ШИ	ш**и**ть
[ЖЭ]	ЖЕ	Ж**е́**ня
[ШЭ]	ШЕ	ш**е**сть
[ЧЯ]	ЧА	ч**а́**сто
[ЩЯ]	ЩА	пло́щ**а**дь
[ЧЮ]	ЧУ	хоч**у́**
[ЩЮ]	ЩУ	тащ**у́**
[ЙА]	Я	**я́**ма, мо**я́**
[ЙЭ]	Е	**е**да́, при**е́**хать
[ЙО]	Ё	**ё**лка, пь**ё**т Исключения: **йо́**га, **йо́**гурт, **йо́**д
[ЙУ]	Ю	**Ю́**ля, зна́**ю**

Твёрдый (Ъ) знак
Твёрдый знак [Ъ] никакого звука не обозначает. Твёрдый знак пишется после приставок на Могласную перед **Е**, **Ё**, **Ю**, **Я**, например, *под**ъ**ём*, *под**ъ**ехать*, *с**ъ**есть*.

Грамматическая справка: состав слова

Слово может состоять из корня, приставки, суффикса и окончания. **Приставка** – это часть слова, стоящая перед его корнем и дополняющая или изменяющая смысл слова, например, ***при**ехать*, *уехать*, ***под**ъехать*, ***с**ъехать*.

4-15 | Диктант. Сочетания ЖИ-ШИ, ЖЕ-ШЕ, ЧА-ЩА, ЧУ-ЩУ. Впишите пропущенные буквы.

1) рыж_й	6) поищ_	11) молч_	16) ш_сть	21) Ж_ня
2) ж_ть	7) уж_н	12) рощ_	17) пищ_т	22) тиш_на
3) выращ_	8) притащ_	13) ч_с	18) крич_	23) ш_ть
4) свеж_й	9) уш_	14) чащ_	19) беж_т	24) больш_
5) малыш_	10) хоч_	15) площ_дь	20) ч_сто	

4-16 | Диктант. Звук Й на письме. Впишите пропущенные буквы.

1) ма_	8) _блоко	15) по_т	22) объ_вление
2) _ма	9) _годы	16) зна_	23) _д
3) музе_	10) _лка	17) мо_	24) здоровь_
4) мо_	11) _бка	18) пь_са	25) _ст
5) мо_	12) _зык	19) пь_т	26) семь_
6) тво_	13) _мор	20) стуль_	27) _ра
7) тво_	14) _г	21) объ_снить	

4-17 | Твёрдый знак (Ъ) или мягкий знак (Ь)? Впишите пропущенные буквы.

1) об_явить	4) об_ехать (весь мир)	7) плат_е
2) об_явление	5) сем_я	8) с_есть
3) (он) б_ёт	6) под_ехать (к дому)	9) с_ехать (с горы)

Биография

В этой главе:

1. Образец биографии.
2. Официально-деловой стиль.
3. Правописание:
   - мягкий знак (Ь) на конце слов после шипящих;
   - сочетания ЧК, ЧН, ЧТ, НЧ, НТ, СЧ, ЖЧ;
   - -ОГО-, -ЕГО-.
4. Пунктуация. Знаки препинания в конце предложения.

5-1 | Перечитайте рассказ Марины Смирновой о себе и прочитайте биографию Василия Ивановича Петрова. Как вы думаете, чем они отличаются? Какая биография, по вашему мнению, написана в нейтрально-разговорном, а какая – в официально-деловом стиле?

Я родила́сь 28 января́ 1987 го́да в небольшо́м городке́ Подо́льске недалеко́ от Москвы́. В три го́да я пошла́ в де́тский сад, где была́ послу́шным ребёнком. Ещё в де́тском саду́ я поступи́ла в музыка́льную шко́лу, но через полтора́ го́да бро́сила, потому́ что осо́бого тала́нта у меня́ не́ было.

В шко́лу я пошла́ в семь лет. Учи́ться в мла́дших кла́ссах мне не нра́вилось, бы́ло тяжело́. В пя́том кла́ссе я поступи́ла в де́тскую худо́жественную шко́лу и око́нчила её на отли́чно.

В сре́дней шко́ле у меня́ появи́лось мно́жество интере́сов: занима́лась

Я, Петро́в Васи́лий Ива́нович, роди́лся 21 декабря́ 1960 го́да в Росси́йской Федера́ции, в г. Новосиби́рске.

В 1967 году́ пошёл в сре́днюю шко́лу № 2 г. То́мска, кото́рую око́нчил в 1977 году́.

В 1977 году́ поступи́л в Моско́вский политехни́ческий институ́т, кото́рый око́нчил в 1982 году́ по специа́льности «Инжене́р-энерге́тик».

В 1982 году́ на́чал рабо́тать, и в настоя́щее вре́мя я рабо́таю инжене́ром на Пе́рвом часово́м заво́де в г. Москве́.

В настоя́щее вре́мя прожива́ю по а́дресу: Росси́я, г. Москва́, ул. Авиа́торов, 18, кв. 122.

вышива́нием, рисова́нием, фотогра́фией... Мне понра́вилось учи́ться! Люби́мыми предме́тами бы́ли матема́тика и ру́сская литерату́ра.

По́сле оконча́ния шко́лы я поступи́ла в Институ́т эконо́мики г. Подо́льска по специа́льности «Фина́нсы и креди́т». Начала́ занима́ться спо́ртом, ста́ла почти́ самостоя́тельным челове́ком, расши́рился кругозо́р, появи́лись но́вые друзья́.

А в про́шлом году́ я око́нчила бакалавриа́т на отли́чно и поступи́ла в магистрату́ру.

Мари́на Смирно́ва

Жена́т. Жена́ – Петро́ва Людми́ла Андре́евна, 1965 го́да рожде́ния, не рабо́тает.

Мать – Петро́ва Ольга Ива́новна, 1935 го́да рожде́ния, ру́сская, пенсионе́рка, прожива́ет по а́дресу: Росси́йская Федера́ция, г. Москва́, ул. Акаде́мика Королёва, 123, кв. 85.

Оте́ц – Петро́в Ива́н Петро́вич, 1935 го́да рожде́ния, ру́сский, образова́ние вы́сшее, пенсионе́р, прожива́ет по а́дресу: Росси́йская Федера́ция, г. Москва́, ул. Акаде́мика Королёва, 123, кв. 85.

ПОДПИСЬ
Москва́
30.12.2011

5-2 | Прочитайте рассказ Марины Смирновой о себе и биографию Василия Ивановича Петрова ещё раз. Какой из этих текстов характеризуется всеми указанными ниже чертами?

- Только основные факты биографии, включая год и место рождения;
- нет выражения личных чувств и отношения к событиям;
- официально-деловой стиль;
- стандартная форма.

5-3 | Просмотрите рассказ Марины Смирновой.

1. Выпишите слова, которые выражают личные чувства Марины, её отношение к событиям её жизни.

Мне не нравилось ______________________________

____

2. Выпишите не основную, а дополнительную информацию о жизни Марины.

Марина в детском саду была послушным ребёнком ______

____

____

____

5-4 | Просмотрите биографию Василия Ивановича Петрова. Напишите нейтрально-разговорные эквиваленты к следующим словам:

1) проживать (по адресу) – ______________________________

2) в настоящее время – ______________________________

3) высшее образование – ______________________________

4) Петрова Людмила Андреевна, 1965 года рождения – ____________

____

____

5-5 | Выпишите, с чего начинается рассказ Марины Смирновой, а с чего – официальная биография Василия Ивановича Петрова.

Я родилась ______________________________

____

Я, Петров Василий Иванович, ______________________________

____

5-6 | Напишите биографию Марины Смирновой в официально-деловом стиле. Используйте биографию Василия Ивановича Петрова в качестве образца.

5-7 | Напишите вашу биографию в официально-деловом стиле. Используйте биографию Василия Ивановича Петрова в качестве образца. В вашей биографии должна присутствовать следующая информация:

1. Фами́лия, и́мя, о́тчество.
2. Число́, ме́сяц и год рожде́ния.
3. Ме́сто рожде́ния (страна́ и го́род).
4. Образова́ние (где, когда́ и чему́ вы учи́лись/у́читесь).
5. Ме́сто рабо́ты (где, когда́ и кем вы рабо́тали/рабо́таете).
6. Соста́в семьи́ (информа́ция о чле́нах семьи́).
7. А́дрес и телефо́н.
8. Да́та написа́ния докуме́нта и ва́ша по́дпись.

ПРАВОПИСАНИЕ

Мягкий знак (Ь) на конце слов после шипящих (Ж, Ш, Щ, Ч)
Существительные женского рода, оканчивающиеся на Ж, Ш, Щ и Ч, пишутся с мягким знаком, например, *ноч**ь***.
Существительные мужского рода, оканчивающиеся на Ж, Ш, Щ и Ч, пишутся без мягкого знака, например, *нож*.

Грамматическая справка: род существительных

В русском языке все существительные делятся на существительные женского, мужского и среднего рода. К существительным женского рода относятся слова, которые оканчиваются на -А, -Я, а также некоторые слова на -Ь, например: *мама*, *тётя*, *тетрадь*. К существительным мужского рода относятся слова, которые оканчиваются на согласный, включая -Й, а также на -Ь, например: *брат*, *музей*, *день*. К существительным среднего рода относятся слова, которые оканчиваются на -О, -Е, например: *окно*, *море*.

Сочетания ЧК, ЧН, ЧТ, НЧ, НТ
Сочетания ЧК, ЧН, ЧТ, НЧ, НТ пишутся без мягкого знака, например: *сестри**чк**а*, *дево**чк**а*, *коне**чн**о*, ***чт**о*, *ба**нт**ик*.

Сочетания ЧТ, ЧН, СЧ, ЖЧ

1. Сочетания ЧТ, ЧН в некоторых словах произносятся как [ШТ], [ШН]. Например, мы слышим и говорим [**шт**]о, *коне*[**шн**]*о*, а пишем ***чт**о*, *коне**чн**о*.
2. Сочетание СЧ и ЖЧ произносится как [Щ]. Например, мы слышим и говорим [**щ**астье, му**щ**ина], а пишем ***сч**астье*, *му**жч**ина*.

-ОГО-, -ЕГО-
Запомните, что мы произносим и слышим -О[В]О-, -Е[В]О-, а пишем -ОГО-, -ЕГО- (например: ***его***, *се**го**дня*, *крас**ного***).

ЗАПОМНИТЕ!

Слышим и говорим	Пишем
[што]	**что**
[штобы]	**что**бы
коне[шн]о	коне**чн**о
[щ]астье	**сч**астье
му[щи]на	му**жч**ина
[щи]тать	**сч**итать
[йиво]	**его**
с[ево]дня	с**его**дня

5-8 | Мягкий знак. Впишите, где надо, мягкий знак (Ь). (М) – существительное мужского рода. (Ж) – существительное женского рода.

1) карандаш_ (М)
2) ноч_ (Ж)
3) мыш_ (Ж)
4) доч_ (Ж)
5) матч_ (М)
6) врач_ (М)
7) нож_ (М)
8) смерч_ (М)
9) ключ_ (М)
10) лож_ (Ж)
11) мяч_ (М)
12) о чём идёт реч_ (Ж)

5-9 | Мягкий знак и сочетания ЧК, ЧН, ЧТ, НЧ, НТ, СЧ, ЖЧ. Впишите, где надо, мягкий знак (Ь).

1) окон_чил
2) отлич_но
3) мал_чик
4) с_частье
5) Ол_га
6) поч_та
7) пис_мо
8) точ_ка
9) тол_ко
10) лич_ный
11) стакан_чик
12) бол_ше
13) закон_чено
14) закон_чить
15) мен_ше
16) с_чёт
17) тол_ко
18) бан_тик
19) загадоч_ный
20) внуч_ка
21) цветоч_ки
22) сестрич_ка
23) ч_то
24) поч_ти
25) окон_чит_
26) меч_та
27) руч_ка
28) тетрад_
29) доч_ка
30) туч_ка
31) реч_ка
32) с_частливо
33) ёлоч_ка
34) брат_я
35) пал_то
36) пал_чик

5-10 | Диктант. ЧТ, ЧН, СЧ, ЖЧ, -ОГО, -ЕГО. Впишите пропущенные буквы.

1) мое_о
2) ваше_о
3) е_о
4) __о
5) __обы
6) __ение
7) се_одня
8) старо_о
9) коне__о
10) Уда__ого дня!
11) красно_о
12) Все_о хороше_о!
13) __астье
14) му__ина

ПУНКТУАЦИЯ

Знаки препинания в конце предложения

- В конце предложения ставится точка (.), если предложение повествовательное. Например: *Я родилась в Москве.*
- В конце предложения ставится восклицательный знак (!), если предложение восклицательное. Например: *Как хорошо! Иди ко мне!*
- В конце предложения ставится вопросительный знак (?), если предложение вопросительное. Например: *Что с тобой?*
- В конце предложения ставится многоточие (…), если предложение не закончено. Например: *Маша молчала…*

5-11 | Прочитайте предложения с разной интонацией и поставьте знаки препинания в конце предложений.

1. Я пошла́ в шко́лу в семь лет
2. Куда́ ты поступи́ла
3. Ура́ Я поступи́ла на юриди́ческий факульте́т
4. Где вы сейча́с рабо́таете
5. В про́шлом году́ я око́нчила бакалавриа́т на отли́чно и поступи́ла в магистрату́ру
6. Кака́я ра́дость
7. Отли́чно

ГЛАВА 6

Биографическая справка

В этой главе:

1. Биография С. Капицы.
2. Биография В. Токаревой.
3. Правописание:
   - Ы, И, Е после Ц;
   - правописание О и Е после шипящих (Ж, Ш, Щ) и Ц.
4. Пунктуация. Запятые при перечислении.

6-1 | Прочитайте биографию Сергея Петровича Капицы, российского учёного, известного телеведущего.

Сергéй Петрóвич Капи́ца роди́лся 14 февраля́ 1928 гóда в Кéмбридже, где в э́то врéмя находи́лся в наýчной командирóвке егó отéц – выдаю́щийся фи́зик, лауреáт Нóбелевской прéмии, акадéмик Пётр Леони́дович Капи́ца. В 1935 годý семья́ переезжáет в СССР[2], и с э́того врéмени С.П. Капи́ца живёт в Москвé.

Сергéй Капи́ца окóнчил Москóвский авиациóнный институ́т. Свою́ наýчную дéятельность нáчал в 1949 годý. Рабóтал в рáзных областя́х фи́зики, напримéр в аэродинáмике. С 1956 гóда Сергéй Капи́ца преподавáл в Москóвском фи́зико-техни́ческом институ́те (МФТИ). В 1961 годý стал дóктором фи́зико-математи́ческих наýк. В 1965 годý получи́л звáние профéссора. С 1965 гóда по 1998 год преподавáл на кáфедре фи́зики. Бóльше двадцати́ лет вёл на Центрáльном телеви́дении передáчу «Очеви́дное – невероя́тное». Сейчáс ведёт передáчу «Очеви́дное – невероя́тное» на канáле «Культу́ра». В послéднее врéмя акти́вно изучáет проблéмы информациóнного óбщества, глобализáции, демогрáфии.

С.П. Капи́ца – президéнт Еврази́йского физи́ческого óбщества, член Европéйской акадéмии наук, член Совéта при Президéнте РФ по культу́ре и искýсству, член Росси́йской акадéмии естéственных наýк, акадéмик Акадéмии росси́йского телеви́дения и Росси́йской акадéмии Интернéта.

[2] СССР – Сою́з Совéтских Социалисти́ческих Респу́блик.

6-2 | Выпишите основную информацию каждого абзаца биографии С.П. Капицы.

1. *Капица родился* ______________________________
   и с ____________________ *живёт в* ____________________
2. *Окончил* ____________________, *работал* ____________________
   ____________________, *преподавал* ____________________
   Стал ____________________, *вёл* ____________________
   ____________________, *сейчас ведёт* ____________________
   ____
   и изучает ______________________________
3. *Президент* ____________________ *и член многих*
   ____

6-3 | Перечитайте отрывок из биографии С. Капицы и задайте вопросы, используя вопросительные слова, приведённые ниже.

Серге́й Капи́ца око́нчил Моско́вский авиацио́нный институ́т. Свою́ нау́чную де́ятельность на́чал в 1949 году́. Рабо́тал в ра́зных областя́х фи́зики, наприме́р в аэродина́мике. С 1956 го́да Серге́й Капи́ца преподава́л в Мо́сковском фи́зико-техни́ческом институ́те. В 1961 году́ стал до́ктором фи́зико-математи́ческих наук. В 1965 году́ получи́л зва́ние профе́ссора. С 1965 го́да по 1998 год преподава́л на ка́федре фи́зики. Бо́льше двадцати́ лет вёл на Центра́льном телеви́дении переда́чу «Очеви́дное – невероя́тное». Сейча́с ведёт переда́чу «Очеви́дное – невероя́тное» на кана́ле «Культу́ра». В после́днее вре́мя акти́вно изуча́ет пробле́мы информацио́нного о́бщества, глобализа́ции, демогра́фии.

1. Где ____ ?
2. Что ____ ?
3. Когда́____ ?
4. Каку́ю ____ ?
5. В каки́х____ ?
6. Как до́лго____ ?

6-4 | Прочитайте биографию писательницы Виктории Самойловны Токаревой.

Родила́сь 20 ноября́ 1937 го́да в Ленингра́де в семье́ инжене́ра. Во вре́мя войны́ семья́ То́каревых была́ эвакуи́рована на Ура́л. По́сле возвраще́ния в Ленингра́д бу́дущая писа́тельница око́нчила шко́лу, зате́м поступи́ла в музыка́льное учи́лище (1956–1960).

Вы́йдя за́муж, переезжа́ет к му́жу в Москву́, рабо́тает в музыка́льной шко́ле (1961–1964). В 1964–1969 года́х у́чится на сцена́рном отделе́нии ВГИК[3] . В э́ти го́ды начина́ет писа́ть расска́зы. В 1964 году́ был опублико́ван пе́рвый расска́з Викто́рии То́каревой «День без вранья́», вы́звавший интере́с чита́телей.

В 1969 году́ выхо́дит пе́рвая кни́га «О том, чего́ не́ было», включи́вшая в себя́ уже́ печа́тавшиеся и но́вые по́вести и расска́зы. В дальне́йшем ка́ждые пять лет писа́тельница публику́ет очередно́й сбо́рник повесте́й и расска́зов.

В после́дние го́ды печа́тается в ра́зных изда́тельствах и по́льзуется большо́й популя́рностью у чита́телей. Осо́бый успе́х име́ли сбо́рники повесте́й и расска́зов «Корри́да», «Не сотвори́», «Ло́шади с кры́льями», «Хэ́ппи энд».

В. То́карева живёт и рабо́тает в Москве́.

[3] ВГИК – Всеросси́йский госуда́рственный институ́т кинематогра́фии.

6-5 | Перепишите текст, расположив предложения в логическом порядке.

После возвращения в Ленинград будущая писательница окончила школу, затем поступила в музыкальное училище. В Москве Виктория работает в музыкальной школе. В 1964–1969 годах Токарева учится на сценарном отделении ВГИК. Виктория Токарева родилась 20 ноября 1937 года в Ленинграде в семье инженера. После окончания музыкального училища Токарева выходит замуж и переезжает к мужу в Москву. В эти годы она начинает писать рассказы. В 1964 был опубликован первый рассказ Виктории Токаревой „День без вранья", вызвавший интерес читателей. Во время войны семья Токаревых была эвакуирована на Урал.

6-6 | Напишите ответы на вопросы, используя полные предложения.

1. Кто такáя Виктóрия Тóкарева?
2. Где и когдá онá родилáсь?
3. Где онá учи́лась?
4. Где онá рабóтала?
5. Когдá онá началá писáть?
6. Когдá был опублико́ван её пéрвый расскáз? Как он назывáлся?
7. Когдá былá опублико́вана её пéрвая кни́га? Как онá назывáлась?
8. Продолжáет ли Виктóрия Тóкарева писáть и печáтаться?

6-7 | Интервью. Вы пишете биографию известного актёра / известной актрисы кино. Подготовьтесь к интервью и напишите вопросы, которые необходимо задать для получения следующей информации:

1) число́, ме́сяц и год рожде́ния;
2) ме́сто рожде́ния (страна́ и го́род);
3) информа́ция о роди́телях;
4) информа́ция о други́х чле́нах семьи́;
5) места́ прожива́ния;
6) образова́ние;
7) места́ рабо́ты;
8) фи́льмы, в кото́рых игра́л/игра́ла;
9) друго́е.

6-8 | Подготовка к изложению. Прочитайте отрывок из биографии А.А. Ахматовой три раза. Выпишите основные даты её жизни и выполните задание 6-9.

Из биогра́фии А́нны Андре́евны Ахма́товой

А́нна Андре́евна Ахма́това (настоя́щая фами́лия – Горе́нко) родила́сь 11 ию́ня 1889 го́да в го́роде Оде́ссе. Оте́ц, инжене́р-меха́ник на фло́те, иногда́ занима́лся журнали́стикой. В 1890 году́ семья́ перее́хала в Ца́рское Село́, под Петербу́рг, где А́нна прожила́ до шестна́дцати лет. Учи́лась А́нна в Царскосе́льской же́нской гимна́зии. Пе́рвое стихотворе́ние она́ написа́ла в оди́ннадцать лет. В 1903 году́ познако́милась с изве́стным ру́сским поэ́том Никола́ем Гумилёвым, кото́рый посвяти́л ей мно́го стихотворе́ний. В 1908–1910 года́х учи́лась на юриди́ческом отделе́нии Ки́евских вы́сших же́нских ку́рсов.

В 1910 году́ Ахма́това вы́шла за́муж за Н. Гумилёва. Весно́й 1912 го́да Гумилёв и Ахма́това путеше́ствовали по Ита́лии, в сентябре́ роди́лся их сын Лев. В 1918 году́ они́ развели́сь.

О́сенью 1910 го́да Ахма́това впервы́е посыла́ет свои́ стихи́ в журна́л «Ру́сская мысль». В 1912 году́ выхо́дит её пе́рвый сбо́рник стихотворе́ний «Ве́чер», име́вший большо́й успе́х. Она́ мно́го выступа́ет, её портре́ты пи́шут худо́жники, ей посвяща́ют стихотворе́ния поэ́ты. В 1914 году́ выхо́дит второ́й сбо́рник «Чётки», принёсший ей всеросси́йскую сла́ву.

6-9 | Изложение. Напишите изложение текста из задания 6-8. Используйте слова и выражения, близкие к оригиналу, а также постарайтесь сохранить структуру излагаемого текста. Данные ниже вопросы помогут вам.

1. Когда́ и где родила́сь А́нна Ахма́това?
2. Кем был её оте́ц?
3. Куда́ семья́ перее́хала в 1890 году́?
4. Где А́нна учи́лась?
5. Когда́ Ахма́това написа́ла своё пе́рвое стихотворе́ние?
6. За кого́ Ахма́това вы́шла за́муж в 1910 году́?
7. Когда́ у неё роди́лся сын Лев?
8. Когда́ А́нна Ахма́това начина́ет публикова́ть свои́ стихотворе́ния?
9. Что принесло́ А́нне Ахма́товой всеросси́йскую сла́ву?

6-10 | Прочитайте стихотворение Анны Ахматовой. Напишите содержание этого стихотворения своими словами.

Я спроси́ла у куку́шки,
Ско́лько лет я проживу́...
Со́сен дро́гнули верху́шки,
Жёлтый луч упа́л в траву́.
Но ни зву́ка в ча́ще све́жей...
Я иду́ домо́й,
И прохла́дный ве́тер не́жит
Лоб горя́чий мой.

1 июня 1919 г., Ца́рское Село́

ПРАВОПИСАНИЕ

Буквы Ы, И, Е после Ц
Буква И после Ц пишется в корнях слов и в словах на -ЦИЯ, например: *цифра*, *экспедиция*. Исключения: ***цыган***, ***цыплёнок***, ***цыц***, *на* ***цы́почках***.
Буква Ы после Ц пишется в суффиксах и окончаниях, например: *сестрицын*, *молодцы*.
После Ц всегда пишется буква Е, а не Э, например: *центр (города)*, *целый (день)*.

ЗАПОМНИТЕ!

Слышим и говорим	Пишем
[цЫфра]	ц**и**фра
[акцЫйа]	акц**и**я
[цЭнтр]	ц**е**нтр

Грамматическая справка: состав слова

Слово может состоять из корня, окончания, суффикса и приставки. Например:
- **корень:** в слове *цифровой* корень ц*ифр*-; однокоренное слово (тот же корень) – *цифра*;
- **окончание:** в слове *игр-а* окончание *-а*, это изменяемая часть слова (*игр-ы*);
- **суффикс:** в слове *брат-ик* – суффикс *-ик-*;
- **приставка:** в слове *приехать* – приставка *при-*.

Правописание О и Е после шипящих (Ж, Ш, Щ, Ч) и Ц в окончаниях существительных
После **Ж**, **Ш**, **Щ** и **Ц** в окончаниях существительных под ударением пишется **О**, а без ударения пишется **Е**, например: *мяч**о́**м*, *Ма́ш**е**й*.

6-11 | Буквы Ы, И после Ц. Впишите пропущенные буквы.

1) акц_я
2) революц_я
3) конституц_я
4) огурц_
5) цивилизац_я
6) пальц_
7) Сергей Лисиц_н
8) ц_плёнок
9) улиц_
10) немц_
11) ц_нк
12) ц_тата
13) китайц_
14) испанц_
15) ц_ц
16) итальянц_
17) корейц_
18) ц_ган
19) ц_рк
20) ц_фра
21) делегац_я
22) организац_я
23) ц_кл
24) Пётр Синиц_н

6-12 | Правописание О и Е после шипящих (Ж, Ш, Щ, Ч) и Ц. Впишите пропущенные буквы.

1) (салат с) огурц´_м
2) (любить всем) се́рдц_м
3) (идти) у́лиц_й
4) (под) ле́стниц_й
5) (с) учи́тельниц_й
6) (с) Ната́ш_й
7) (доволен) встре́ч_й
8) (открыл дверь) ключ´_м
9) (думать над) зада́ч_й
10) (с) отц´_м

ПУНКТУАЦИЯ

Запятые при перечислении

- Запятая обычно ставится при перечислении без союзов, например: *С.П. Капица изучает проблемы информационного общества, глобализации, демографии.*
- Запятая не ставится при перечислении с союзами И, ИЛИ. Например: *С.П. Капица изучает проблемы информационного общества, глобализации и демографии.*
  Я хочу прочитать сборник повестей и рассказов В. Токаревой «Коррида» или «Хэппи энд».

6-13 | Запятые при перечислении. Прочитайте предложения, расставьте запятые и объясните их употребление.

1. С.П. Капи́ца око́нчил Моско́вский авиацио́нный институ́т рабо́тал в таки́х областя́х фи́зики, как аэродина́мика земно́й магнети́зм и други́е.

2. В 1961 году́ он стал до́ктором фи́зико-математи́ческих нау́к получи́л зва́ние профе́ссора и на́чал преподава́ть на ка́федре фи́зики МФТИ.

3. С.П. Капи́ца явля́ется президе́нтом Еврази́йского физи́ческого о́бщества чле́ном Европе́йской акаде́мии нау́к чле́ном Сове́та при Президе́нте РФ по культу́ре и иску́сству чле́ном Росси́йской акаде́мии есте́ственных нау́к акаде́миком Акаде́мии росси́йского телеви́дения и Росси́йской акаде́мии Интерне́та.

4. Осо́бый успе́х у чита́телей име́ли сбо́рники повесте́й и расска́зов В. То́каревой «Корри́да» «Не сотвори́» «Ло́шади с кры́льями» «Хэ́ппи энд».

6-14 | Запятые при перечислении. Прочитайте стихотворение А. Блока и расставьте недостающие запятые. Найдите это стихотворение в Интернете и проверьте себя.

Ночь улица фонарь аптека
Бессмысленный и тусклый свет.
Живи ещё хоть четверть века –
Всё будет так. Исхода нет.

Умрёшь – начнёшь опять сначала
И повторится всё, как встарь:
Ночь ледяная рябь канала
Аптека улица фонарь.

10 октября 1912 г.

О друзьях

В этой главе:
1. Форумы «Нужны ли друзья?» и «Бывает ли женская дружба?».
2. Как давать советы.
3. Правописание:
   • звонкие и глухие согласные на конце слова;
   • непроизносимые согласные.
4. Пунктуация. Перечисление с повторяющимися союзами.

7-1 | Прочитайте перечень того, что необходимо для дружеских отношений. Пронумеруйте этот список от 1 до 7 (1 – самое необходимое, 7 – наименее необходимое). Объясните ваши приоритеты.

Для дру́жбы необходи́мы:

___ взаи́мная симпа́тия (прия́тно обща́ться);

___ взаимопонима́ние (не на́до задава́ть ли́шних вопро́сов);

___ откры́тость (друзья́ не ска́жут: «Э́то не твоё де́ло»);

___ открове́нность, и́скренность;

___ дове́рие друг к дру́гу;

___ акти́вная взаимопо́мощь;

___ о́бщность интере́сов и увлече́ний.

7-2 | Добавьте к списку в 7-1 то, что вы считаете важным в ваших взаимоотношениях с друзьями, и напишите почему.

7-3 | Нужны ли друзья? Прочитайте сообщения Ивана и Александра на форуме «Нужны ли друзья?». Выпишите доводы за, которые приводит Иван, и доводы против, которые приводит Александр.

За – Ива́н	Про́тив – Алекса́ндр
1.	1.
2.	2.
3.	3.

Форум > Нужны ли друзья?

Ива́н Сообще́ние 1

Мне 21 год, и у меня́ нет друзе́й. Иногда́ тру́дно, когда́ на меня́ взва́ливаются пробле́мы повседне́вной жи́зни, из кото́рых мо́жно вы́браться то́лько благодаря́ подде́ржке кого́-то. Но их нет, нет тех, кто бы позвони́л мне с утра́ и сказа́л: «До́брое у́тро». Нет тех, кто за ка́ждую мою́ глу́пость меня́ бы смешно́ дразни́л, и я бы смея́лся. Нет тех, кто бы смог меня́ защити́ть и́ли кого́ я бы защити́л. Нет тех, кто бу́дет ря́дом, когда́ ты не хо́чешь никого́ ви́деть. Нет тех, кто про́сто поймёт...

Алекса́ндр Сообще́ние 2

Заче́м вообще́ нужны́ друзья́? Ведь, е́сли посмотре́ть с друго́й стороны́, то, когда́ нет друзе́й в жи́зни, жизнь стано́вится ле́гче… Ведь друг мо́жет вы́дать твои́ секре́ты и́ли та́йны, что тебя́ оби́дит ещё бо́льше. Начнёшь ду́мать о пробле́мах друзе́й, голова́ бу́дет заби́та не то́лько свои́ми пробле́мами, но и чужи́ми… Друзья́ – э́то не са́мое ва́жное... По-мо́ему, есть куда́ бо́лее ва́жные пробле́мы, чем по́иск дру́жбы... Са́мый ве́рный друг для любо́го челове́ка — э́то он сам.

7-4 | Напишите ваше сообщение на форуме «Нужны ли друзья?». Вы можете использовать доводы Ивана и Александра, а также обязательно приведите свои доводы.

7-5 | Форум «У меня нет друзей». Прочитайте сообщение Анны З. на форуме.

Форум > У меня нет друзей

Анна З. Сообщéние

Недáвно окóнчила шкóлу, переéхала в другóй гóрод, поступи́ла в университéт, живу́ у рóдственников, роднóй дом óчень далекó.

Э́то началóсь ужé в шкóле, в 11 клáссе, когдá меня́ брóсила еди́нственная подру́жка. Истéрики, слёзы, мы́сли о суици́де – всё потому́, что нé было друзéй, слóвно задыхáлась без общéния. Спаслá мáма, убеди́ла в том, что, когдá бу́ду учи́ться в ву́зе[4], поя́вятся и друзья́, и пáрень. И вот прошлó ужé бóльше мéсяца, все однокýрсники подружи́лись мéжду собóй, а я опя́ть не от ми́ра сегó – бéлая ворóна. Роди́телям всегдá пишу́, что всё хорошó, и они́ ду́мают, что у меня́ действи́тельно всё налáдилось, но мне не хóчется огорчáть их, у них сами́х сейчáс тру́дные временá, а тут ещё неудáчница-дóчка...

7-6 | Перечитайте сообщение Анны З. на форуме в 7-5 и напишите полные ответы на вопросы.

1. Почему́ А́нна не живёт с роди́телями?
2. Почему́ онá былá óчень расстрóена в 11-м клáссе?
3. Чегó онá ждалá, когдá поступи́ла в университéт?
4. Нашлá ли онá друзéй?

[4] Вуз – вы́сшее учéбное заведéние, напримéр университéт, институ́т.

7-7 | Прочитайте и кратко напишите, что советуют Анне 3. Алиса и Стас.

Алиса советует, чтобы Анна... Стас пишет, что...

Форум > У меня нет друзей

Али́са Отве́тила

А́нна, я ду́маю, что Вам сто́ит забы́ть на вре́мя об э́той пробле́ме и пойти́ в како́й-то клуб по интере́сам (при университе́те они́ должны́ быть), посети́ть, наприме́р, уро́к та́нцев, како́й-то спорти́вный клуб и́ли конце́рт люби́мой гру́ппы. Вы там обяза́тельно с ке́м-то познако́митесь, не обяза́тельно же друзья́ из одного́ университе́та. Уве́рена, что у Вас всё нала́дится!

Стас Отве́тил

Приве́т. Никака́я ты не неуда́чница, и не ду́май так. А то, что все в университе́те передружи́лись, так э́то не так. Найти́ настоя́щего дру́га непро́сто. И они́ про́сто обща́ются ме́жду собо́й, а дру́жба их – одна́ ви́димость. Пове́рь моему́ о́пыту, я в э́том году́ университе́т око́нчил. Обща́лся со все́ми, а дружу́ с одни́м то́лько одногру́ппником. У всех своя́ жизнь. Ты, гла́вное, не робе́й и не придава́й тако́го большо́го значе́ния э́той пробле́ме. Друзья́ у тебя́ поя́вятся…

7-8 | Перечитайте 7-5 и 7-7. Прочитайте советы, данные ниже, и выберите тот, который вам кажется лучшим. Подчеркните выражения, которые нужны, чтобы дать совет.

1. А́нна, я тебе́ сове́тую не беспоко́иться и подожда́ть.
2. Лу́чше всего́ поду́мать о том, что в тебе́ не так, а не вини́ть други́х.
3. Не сто́ит так пережива́ть, со вре́менем встре́тишь хоро́шего па́рня, и друзья́ бу́дут не нужны́.

4. Я бы посове́товала тебе́ заня́ться че́м-нибудь поле́зным, наприме́р порабо́тать где́-нибудь волонтёром и́ли сходи́ть в це́рковь. Там мо́жно встре́тить хоро́ших люде́й.
5. Ваш сове́т: ____

____

____

____

7-9 | Бывает ли женская дружба? Прочитайте сообщения из форума «Лучшая подруга».

Форум > Лучшая подруга > Бывает ли женская дружба?

Ле́на Д. Сообще́ние 1

Девчо́нки, мне о́чень интере́сно, есть ли у кого́-то подру́га, с кото́рой вы дружи́ли полжи́зни и в кото́рой ни ра́зу не разочарова́лись? С кото́рой мо́жно дели́ть и ра́дость, и печа́ль? Кото́рая всегда́ бу́дет ря́дом?

У меня́ была́ подру́га, с кото́рой я дружи́ла мно́го лет. Её зва́ли Ма́ша. Она́ была́ тако́й краси́вой, весёлой, всегда́ шути́ла! Мы с ней бы́ли не разле́й вода́! Но пото́м всё на́чало ру́шиться. Оказа́лось, что она́ совсе́м не така́я, како́й я счита́ла её. В тот моме́нт, когда́ мне бо́льше всего́ нужна́ была́ её подде́ржка, она́ была́ про́тив меня́! И на́ша дру́жба зако́нчилась. Тепе́рь я стара́юсь никому́ не доверя́ть, кро́ме свои́х роди́телей.

Ка́тя В. Сообще́ние 2

Говоря́т, что дру́жбы же́нской не быва́ет. Но я зна́ю, что быва́ет!!!! У ме́ня есть подру́га Га́ля. Мы дру́жим с ней с 5-го кла́сса. Мы да́же че́м-то похо́жи — и вне́шне, и по хара́ктеру: о́бе высо́кие стро́йные блонди́нки с голубы́ми глаза́ми, весёлые и до́брые. Мы учи́лись в одно́й шко́ле, в одно́м кла́ссе, жи́ли в одно́м до́ме. Мы проводи́ли всё своё свобо́дное вре́мя вме́сте: ходи́ли и в кино́, и на като́к, и на та́нцы, занима́лись вме́сте баскетбо́лом и фехтова́нием… За э́ти го́ды, коне́чно, ме́жду на́ми бы́ли и оби́ды, и ссо́ры, но они́ бы́стро проходи́ли. Пото́м мы око́нчили шко́лу и разъе́хались по ра́зным города́м. Га́ля поступи́ла в Петербу́ргский университе́т, око́нчила его́ два го́да наза́д, вы́шла за́муж, и у неё родила́сь до́чка Да́шечка. Свое́й малы́шке Га́ля посвяща́ет всё своё вре́мя. Но мы продолжа́ем обща́ться по ска́йпу. Она́ еди́нственная, кому́ я могу́ рассказа́ть абсолю́тно всё, подели́ться свои́м го́рем и ра́достью. Она́ отзы́вчивый, всё понима́ющий, пре́данный и о́чень до́брый челове́к…

7-10 | Прочитайте о различных способах связи предложений в тексте.

Способы связи	Примеры
С помощью местоимений	У меня́ была́ **подру́га**, с кото́рой я дружи́ла мно́го лет. **Её** зва́ли Ма́ша. **Она́** была́ тако́й краси́вой, весёлой, всегда́ шути́ла!
С помощью повтора слов	**Мы** дру́жим с ней с 5-го кла́сса. **Мы** да́же че́м-то похо́жи и вне́шне, и по хара́ктеру.
С помощью синонимов и синонимичных выражений	Га́ля вы́шла за́муж, и у неё родила́сь **до́чка** Да́шечка. **Свое́й малы́шке** Га́ля посвяща́ет всё своё вре́мя.

7-11 | Перепишите текст. Устраните ненужные повторы: замените существительные местоимениями, синонимами или синонимичными выражениями.

У меня есть подруга. Мою подругу зовут Ира. Я дружу с Ирой ещё со школы. Когда Ира и я поступили в разные институты, Ира и я всё равно не прекращали дружить. Нам было интересно друг с другом, потому что мы понимали друг друга. Когда я переехала в другой город, мы общались по Интернету. Конечно, отдыхать Ира и я всегда тоже ездили вместе. Когда я вышла замуж, наше общение не прекратилось. Моя подруга Ира даже приезжала в гости, когда я была беременна на восьмом месяце.

7-12 | Прочитайте сообщение Лены Д. в 7-9 ещё раз. Ответьте на вопросы полными предложениями. Используйте разные способы связи элементов текста: местоимения, повторы слов, синонимы.

1. Како́й вопро́с волну́ет Ле́ну Д.?
2. Как вы ду́маете, почему́ э́то волну́ет Ле́ну?
3. Почему́ дру́жба Ле́ны и Ма́ши зако́нчилась?
4. Как Ле́на тепе́рь отно́сится к лю́дям?

7-13 | Сформулируйте и напишите основную идею сообщения Лены Д. в 7-9. Используйте разные способы связи элементов текста: местоимения, повторы слов, синонимы.

7-14 | Прочитайте сообщение Кати В. в 7-9. Сформулируйте и напишите основную идею сообщения Кати. Используйте разные способы связи элементов текста: местоимения, повторы слов, синонимы.

____

____

____

7-15 | Найдите и выпишите необходимую информацию из сообщения Кати В. в 7-9.

1. Как вы́глядели Ка́тя и Га́ля?
2. Как они́ вме́сте проводи́ли свобо́дное вре́мя?
3. Каки́е слова́ испо́льзует Ка́тя, что́бы описа́ть хара́ктер Га́ли, како́й Га́ля челове́к?
4. Что Ка́тя це́нит в дру́жбе?

7-16 | Сочинение. Напишите связный текст о вашем лучшем друге или вашей лучшей подруге. Данные ниже вопросы помогут вам. Используйте разные способы связи элементов текста: местоимения, повторы слов, синонимы.

1. Как его́/её зову́т?
2. Когда́, где и в како́й семье́ он/она́ роди́лся/родила́сь?
3. Где он/она́ у́чится и́ли рабо́тает?
4. Где он/она́ учи́лся/учи́лась?
5. Где и как вы познако́мились?
6. Ча́сто ли вы встреча́етесь?
7. Како́й у него́ /у неё хара́ктер, похо́жи ли вы с ним / с ней по хара́ктеру?
8. Как вы прово́дите свобо́дное вре́мя?
9. Каки́е у вас о́бщие интере́сы?

ПРАВОПИСАНИЕ

Звонкие и глухие согласные на конце слова
В русском языке существуют парные согласные, звонкие и глухие:

Звонкие согласные	Б	В	Г	Д	Ж	З
Глухие согласные	П	Ф	К	Т	Ш	С

Согласные Л, М, Н, Р пар не имеют.
В конце слова звонкие согласные оглушаются, то есть произносится, например, не Б, а П, *зу**б*** – [*зу**п***]. Чтобы решить, какую букву писать в конце слова, надо подобрать однокоренное слово или изменить форму слова так, чтобы после этого согласного стоял гласный, звонкий согласный или Л, М, Н, Р, например: ***зуб*** – ***зуб**ной* (*врач*); (*нет*) *зу**б**а*.

Непроизносимые согласные
В русском языке есть слова, имеющие сочетания трёх или четырёх согласных, один из которых не произносится. Это, например, сочетания СТН, СТЛ, ЛНЦ, РДЦ, ЗДН, ВСТВ в словах *грустный*, *честный*, *лестница*, *счастливый*, *солнце*, *сердце*, *поздно*, *здравствуйте* и др.[5] Написание таких слов надо запомнить.

7-17 | Звонкие и глухие согласные на конце слова. Впишите пропущенные буквы. Используйте проверочные слова в скобках.

1) горо_ (хожу по городу)
2) са_ (садовник)
3) хле_ (нет хлеба)
4) (он) здоро_ (она здорова)
5) шка_ (под шкафом)
6) сне_ (нет снега)
7) лу_ (луковый суп)
8) дру_ (подруга)
9) го_ (в конце года)
10) бра_ (нет брата)
11) мос_ (под мостом)
12) но_ (порезаться ножом)
13) (он) хоро_ (она хороша)
14) (он) краси_ (она красива)
15) (он) замёр_ (она замёрзла)
16) но_ (носовой платок)
17) ужа_ (ужасный)
18) (иду) вни_ (внизу)

[5] И др. – и други́е.

7-18 | Напишите предложения со следующими словами: *грустный*, *честный*, *лестница*, *счастливый*, *солнце*, *сердце*, *поздно*, *здравствуйте*.

ПУНКТУАЦИЯ

Перечисление с повторяющимися союзами
Запятая ставится при перечислении с повторяющимися союзами: И... И, НИ... НИ, ИЛИ... ИЛИ, ТО... ТО, например: *Мы проводили всё своё свободное время вместе: ходили и в кино, и на каток, и на танцы.*
Запомните, что с повторяющимся союзом НИ... НИ глагол в предложении пишется с НЕ, например: ***Ни** Катя, **ни** Лена **не** знали об этом.*

7-19 | Перечисление с повторяющимися союзами. Прочитайте текст и расставьте недостающие запятые.

1. Мы да́же че́м-то похо́жи и вне́шне и по хара́ктеру.
2. Мне не нра́вится ни его́ вне́шность ни его́ хара́ктер.
3. Ва́ля весь ве́чер то смеётся то пла́чет.
4. За э́ти го́ды, коне́чно, ме́жду подру́гами бы́ли и оби́ды и ссо́ры.
5. Га́ля еди́нственная, кому́ я могу́ рассказа́ть абсолю́тно всё, подели́ться и свои́м го́рем и свое́й ра́достью.
6. Га́ля и отзы́вчивый и всё понима́ющий и о́чень до́брый челове́к.
7. С мои́м дру́гом мо́жно раздели́ть и ра́дость и печа́ль.
8. А́нна, я ду́маю, что Вам сто́ит забы́ть на вре́мя об э́той пробле́ме и посети́ть, наприме́р, и́ли уро́к та́нцев и́ли како́й-то спорти́вный клуб и́ли конце́рт люби́мой гру́ппы.

Ваши интересы

8

ГЛАВА

В этой главе:

1. Статья из «Википедии» о хобби.
2. Сочинение об увлечениях.
3. Правописание:
   - буквы З и С в приставках и корнях;
   - удвоенная согласная.
4. Пунктуация. Сложноподчинённое предложение с союзами ЧТО, ГДЕ, КОГДА, ПОЧЕМУ, ПОТОМУ ЧТО, ЕСЛИ, КАК, КОТОРЫЙ (КОТОРАЯ, КОТОРОЕ, КОТОРЫЕ), ЧТОБЫ.

8-1 | Прочитайте, что такое хобби, и напишите кратко своими словами, как вы это понимаете. Используйте разные способы связи элементов текста: местоимения, повторы слов, синонимы (см.[6] 7–10).

Хо́бби (от англ. hobby) – увлече́ние, кото́рым регуля́рно занима́ются в свобо́дное вре́мя для души́. Хо́бби мо́жет быть хоро́шим спо́собом борьбы́ со стре́ссом, кро́ме того́, хо́бби ча́сто помога́ет расши́рить кругозо́р, расши́рить круг друзе́й и мо́жет помо́чь самореализова́ться. То, что для одного́ челове́ка явля́ется хо́бби, для друго́го мо́жет быть профе́ссией. Но иногда́ увлече́ние и профе́ссия у люде́й совпада́ют.

Спи́сок увлече́ний: спорт, коллекциони́рование, модели́зм, дома́шние живо́тные, тво́рчество (литерату́рное, худо́жественное и др.), компью́тер, нау́ка, и́гры, путеше́ствия.

Из «Википе́дии»

Хо́бби – э́то ______________________________

____

____

[6] См. – смотри́.

8-2 | Прочитайте определение слова «хобби» в 8-1 ещё раз и кратко напишите ответы на следующие вопросы. Используйте по возможности ключевые слова и выражения, данные в скобках.

1. Почему́ хо́бби мо́жет помо́чь расши́рить круг друзе́й? (познако́миться с кем?; интере́сно обща́ться с кем?; занима́ться одни́м и тем же; есть о чём поговори́ть; обме́ниваться чем?)
2. Почему́ хо́бби помога́ет расши́рить кругозо́р? (занима́ться чем?; узнава́ть мно́го но́вого о чём?; сти́мул для чего́?)

8-3 | Прочитайте комментарии к статье в «Википедии» (в 8-1) и напишите свой комментарий.

Коммента́рий 1. А рукоде́лие где?

Коммента́рий 2. Спорт – э́то не хо́бби. Мы все занима́емся спо́ртом в шко́ле, но не все коллекциони́руют ма́рки, наприме́р. Ма́рки – э́то настоя́щее хо́бби.

Коммента́рий 3. А мне интере́сно узна́ть, почему́ оди́н собира́ет моне́ты, а друго́й игра́ет в компью́терные и́гры. На мой взгляд, э́то о́чень перспекти́вная и интере́сная те́ма.

Коммента́рий 4. А чте́ние? А кино́? Э́то куда́ вхо́дит? Я, наприме́р, бо́льше всего́ люблю́ чита́ть и́ли смотре́ть фи́льмы.

Ваш коммента́рий: ______________________________

____

____

8-4 | Анализ текста: стиль. Прочитайте следующие тексты. Найдите элементы, которые показывают, что стиль, которым написан каждый текст, является разговорным или официальным. С какой целью каждый текст написан? Кому текст адресован?

Текст 1
Пря́мо не зна́ю, что и де́лать! Сын совсе́м помеша́лся на компью́терных и́грах. Ну про́сто рехну́лся! Ни обе́дать, ни занима́ться, ни гуля́ть – прили́п к компью́теру. Сил уже́ нет. Из шко́лы ско́ро вы́летит, в институ́т не попадёт. Ну и ско́лько он бу́дет так игра́ть? Когда́ э́та дурь пройдёт? Еле́на Ива́новна Со́мова.

Текст 2
В на́шей шко́ле существу́ет мно́го клу́бов, где уча́щиеся мо́гут найти́ себе́ увлече́ние по душе́, развива́ть свои́ тво́рческие спосо́бности, встреча́ться с други́ми ученика́ми с подо́бными интере́сами. Не́сколько раз в неде́лю встреча́ется, наприме́р, клуб альпини́стов, уча́стники кото́рого гото́вятся к похо́ду во вре́мя ле́тних кани́кул. Есть и клу́бы вяза́ния, рукоде́лия, рисова́ния, кулинари́и. Администра́ция шко́лы № 405.

8-5 | Перечитайте тексты в 8-4. В какой части текста находится его информационный центр (главная информация)? Выберите предложение, которое наиболее точно и полно отражает основную мысль каждого текста.

1. Еле́на Ива́новна Со́мова...
   а) бои́тся, что сын не посту́пит в институ́т.
   б) не зна́ет, что де́лать с сы́ном, потому́ что он увлёкся компью́терными и́грами.
   в) хо́чет поня́ть, здоро́в ли сын психи́чески и́ли его́ на́до лечи́ть.

2. В шко́ле № 405...
   а) есть клуб альпини́зма, уча́стники кото́рого гото́вятся к похо́ду во вре́мя ле́тних кани́кул.
   б) есть клуб, где мо́жно развива́ть свои́ тво́рческие спосо́бности.
   в) есть мно́го клу́бов по интере́сам.

8-6 | Перепишите текст, заменив выделенные слова и выражения нейтральными эквивалентами.

Прямо не знаю, что и делать! Сын совсем ***помешался на*** *компьютерных играх. Ну просто* ***рехнулся****! Ни обедать, ни заниматься, ни гулять –* ***прилип к*** *компьютеру. Сил уже нет. Из школы скоро* ***вылетит****, в институт* ***не попадёт****. Ну и сколько он будет так играть? Когда эта* ***дурь пройдёт****? Елена Ивановна Сомова.*

8-7 | Дайте совет Елене Ивановне Сомовой. Используйте следующие выражения:

Выражение совета	1. Я вам сове́тую... (не беспоко́иться, поговори́ть с ним, подожда́ть...) 2. Лу́чше всего́ поду́мать о том (что, как, почему́...), ... 3. Не сто́ит так пережива́ть, со вре́менем… 4. Я бы посове́товал/а вам...

8-8 | Прочитайте текст и допишите вопросы.

В на́шей шко́ле мно́го клу́бов, где уча́щиеся мо́гут найти́ себе́ увлече́ние по душе́, развива́ть свои́ тво́рческие спосо́бности, встреча́ться с други́ми ученика́ми с подо́бными интере́сами. Не́сколько раз в неде́лю встреча́ется, наприме́р, клуб альпини́стов, уча́стники кото́рого гото́вятся к похо́ду во вре́мя ле́тних кани́кул. Есть и клу́бы вяза́ния, рукоде́лия, рисова́ния, кулинари́и.

1. Где ____?
2. Что ____?
3. С кем ______________________________________?
4. Кто ____?
5. К чему́ _____________________________________?
6. Ско́лько ____________________________________?
7. Каки́е ______________________________________?

8-9 | Перепишите текст, сделав его более связным: объедините простые предложения в сложные при помощи следующих союзов: КОТОРЫЙ, КУДА, ЕСЛИ, ГДЕ, КОГДА, В КОТОРОМ.

Я учусь в Южном федеральном университете. Южный федеральный университет находится в городе Ростов-на-Дону. Жизнь студента – это не только учёба. В университете много разных клубов. Вы можете записаться в разные клубы. Вам нравится экстремальный спорт. Вы можете записаться в клуб альпинизма. Вы любите природу. Вы можете стать членом клуба туризма. В клубе туризма вы просто замечательно проведёте свободное время! В университете есть даже свой ансамбль народного танца. Ансамбль народного танца часто выступает в университетском концертном зале.

Вы окончите университет и будете скучать по своим студенческим друзьям. Вы сможете записаться в ассоциацию выпускников. В ассоциации выпускников насчитывается более 10 000 членов.

8-10 | Прочитайте текст. Найдите и подчеркните информационный центр каждого абзаца.

О мои́х увлече́ниях

(1) В подростко́вом во́зрасте я заня́лся филатели́ей, стал коллекциони́ровать ма́рки и го́рдо называ́ть себя́ филатели́стом. Я да́же вступи́л в клуб филатели́стов! Собира́ть ма́рки бы́ло интере́сно. Снача́ла мне нра́вилось собира́ть ма́рки на те́му «Фло́ра и фа́уна», а пото́м стал собира́ть «Города́». Э́то заня́тие расши́рило мой кругозо́р. Я знал огро́мное коли́чество городо́в в ра́зных стра́нах ми́ра, назва́ния мно́гих экзоти́ческих цвето́в и живо́тных.

(2) Говоря́т, что́бы жизнь была́ интере́снее и полне́е, у челове́ка должно́ быть хо́бби, и возмо́жно, да́же не одно́. Я не могу́ с э́тим не согласи́ться. Я про́сто не представля́ю себе́, что бы я де́лал, е́сли бы у меня́ не́ было увлече́ний.

(3) Пото́м была́ фотогра́фия. Э́то увлече́ние про́чно вошло́ в мою́ жизнь, да́же, мо́жно сказа́ть, измени́ло у́гол зре́ния, под кото́рым я стал смотре́ть на мир. Увлека́юсь я фотогра́фией и сейча́с. Я стара́юсь переда́ть движе́ние, пойма́ть неповтори́мый моме́нт: пти́ца – пари́т в полёте, маши́на – мчи́тся по тра́ссе, облака́ – плыву́т по не́бу. Осо́бенно мне нра́вится снима́ть незнако́мых люде́й, кото́рых я случа́йно заме́тил на у́лице, хо́чется ула́вливать неповтори́мые, то́лько им прису́щие выраже́ние глаз, ми́мику, же́сты.

(4) Как ви́дите, у меня́ бы́ло мно́го ра́зных увлече́ний. Уве́рен, что спи́сок мои́х увлече́ний ещё попо́лнится в бу́дущем, потому́ что в ми́ре сто́лько всего́ интере́сного!

(5) По́зже я заинтересова́лся коллекциони́рованием значко́в. Коллекциони́ровать значки́ бы́ло немно́го сложне́е, потому́ что их нельзя́ бы́ло вы́писать по по́чте, как ма́рки. Значки́ из са́мых ра́зных городо́в мне привози́л оте́ц. У меня́ собрала́сь колосса́льная колле́кция значко́в с герба́ми ра́зных городо́в.

8-11 | Прочитайте текст в 8-10 ещё раз и расставьте абзацы в логическом порядке.

____

8-12 | Перечитайте текст в 8-10. Напишите изложение текста, опираясь на план.

1. У челове́ка должно́ быть хо́бби, что́бы жизнь была́ интере́снее и полне́е.
2. Я коллекциони́ровал ма́рки по те́мам «Фло́ра и фа́уна», «Го́рода».
3. По́зже я заинтересова́лся коллекциони́рованием значко́в.
4. Пото́м фотогра́фия про́чно вошла́ в мою́ жизнь.
5. Уве́рен, что спи́сок мои́х увлече́ний попо́лнится в бу́дущем.

8-13 | Диктант. Напишите диктант, поставьте ударение в словах.

Моё увлечение

Если это вам ______________________, я могу немного рассказать ______________________ увлечениях. Итак, начнём. Я безумно ______________ позировать перед фотокамерой. У меня есть коллекция моих ______________________ числом более 200 штук. Что ещё? Я очень люблю животных, у меня есть ______________ белый пушистый __________________. Кота зовут White, и я его часто ________________ ласкательно Уайтик. Также я очень люблю путешествовать, люблю тёплое ___________ и много солнца. Обожаю ________________ и думаю, что это у меня __________________ получается. А вообще, я могу долго перечислять свои увлечения, потому что их очень _____________!

8-14 | Напишите текст для блога о своих увлечениях.

ПРАВОПИСАНИЕ

Буквы З и С на конце приставок

1. Приставки БЕЗ-, РАЗ-, ИЗ-, ВЗ-, ВОЗ- пишутся перед гласными, звонкими согласными и Л, М, Н, Р. Например: *разобрать*, *взлететь*.
2. Приставки БЕС-, РАС-, ИС-, ВС-, ВОС- пишутся перед глухими согласными, например: *ис**п**угаться*.

Звонкие согласные	Б	В	Г	Д	Ж	З
Глухие согласные	П	Ф	К	Т	Ш	С

Буквы З и С в приставках и корнях слов

Приставки З- не бывает, есть приставка С-. Поэтому всегда пишите приставку С- , даже если слышите З-. Например: ***с**делать*, ***с**дать (экзамен)*, ***с**бежать (с лекции)*.

Запомните написание следующих слов, в которых З не является приставкой: ***з**десь*, ***з**дание*, ***з**дорово*, ***з**доровье*, ***з**дравствуй*.

Удвоенная согласная

Запомните написание слов с удвоенными согласными:

хо**бб**и
гру**пп**а
хо**кк**ей
а**кк**уратный
су**мм**а
кла**сс**
ра**сс**каз
су**бб**ота
те**рр**итория

8-15 | Буквы З и С на конце приставок. Впишите пропущенные буквы.

1) ра_говор

2) и_пугать (брата)

3) ра_бросать (вещи)

4) и_бегать (встреч)

5) в_глянуть (на кого?)

6) ра_гадать (загадку)

7) ра_думать (поступать в институт)

8) и_лечить (болезнь)

9) ра_сказать

10) бе_работица

11) (они) ра_велись

12) ра_смотреть (предложение)

13) ра_считывай (на меня)

14) бе_образное (поведение)

15) во_хождение (на гору)

16) бе_смысленный (поступок)

17) бе_ответственный (человек)

18) бе_дарный (фильм)

8-16 | Диктант. Буквы З и С в приставках и корнях слов. Впишите пропущенные буквы.

1) _делать
2) _дать
3) _дравствуй
4) _десь
5) _гореть
6) _доровье
7) _дружиться
8) _зади
9) _давить
10) _бежать
11) _дание
12) _дорово
13) _говориться
14) _борник (стихов)

8-17 | Слова с удвоенными согласными. Составьте с каждым словом по одному предложению.

хобби	аккуратный	рассказ
группа	сумма	суббота
хоккей	класс	территория

ПУНКТУАЦИЯ

Сложноподчинённые предложения с союзами ЧТО, ГДЕ, КОГДА, КАК, ПОЧЕМУ, ПОТОМУ ЧТО, ЕСЛИ, КОТОРЫЙ, ЧТОБЫ

1. Запятая всегда ставится в сложных предложениях перед союзами ЧТО, ГДЕ, КОГДА, КАК, ПОЧЕМУ, ПОТОМУ ЧТО, ЕСЛИ, КОТОРЫЙ (КОТОРАЯ, КОТОРОЕ, КОТОРЫЕ), ЧТОБЫ, соединяющими главное предложение и придаточное, например: *Я не знаю, **что** она скажет. Я не знаю, **как** ты можешь ему помочь.*
2. Придаточное предложение выделяется запятыми с двух сторон, если оно находится внутри главного предложения, например: *Он подошёл к девушке, **которая** стояла около окна, и поздоровался.*
3. Если придаточное стоит перед главным предложением, запятая ставится после придаточного перед главным, например: ***Когда** мне было 7 лет, я собирал марки.*

Грамматическая справка

Предложения бывают **простые** (например: *Я иду в школу*) и **сложные** (состоит из двух и более простых, которые обычно соединены между собой с помощью союзов, например: *Я не знаю, что Игорь будет делать сегодня вечером*). Сложные предложения бывают сложноподчинённые и сложносочинённые. В **сложноподчинённом** предложении одно из простых предложений является **главным**, а остальные являются **придаточными** и зависят от главного и по смыслу, и грамматически.

Например: *Я не знаю, что Игорь будет делать сегодня вечером*. Это предложение состоит из двух простых, соединённых союзом ЧТО:

1) главное предложение: *Я не знаю*.

2) придаточное предложение: *Игорь будет делать сегодня вечером*.

8-18 | Сложноподчинённые предложения. Прочитайте предложения и расставьте запятые. Объясните ваши решения.

1. Хо́бби – вид челове́ческой де́ятельности вид развлече́ния увлече́ние кото́рым регуля́рно занима́ются в свобо́дное вре́мя.

2. У челове́ка должно́ быть хо́бби что́бы жизнь была́ интере́снее и полне́е.

3. А мне интере́сно узна́ть почему́ Сла́ва собира́ет моне́ты.

4. В на́шей шко́ле существу́ет мно́го клу́бов где уча́щиеся мо́гут найти́ себе́ увлече́ние по душе́.

5. Не́сколько раз в неде́лю встреча́ются уча́стники клу́ба альпини́стов кото́рые гото́вятся к похо́ду во вре́мя ле́тних кани́кул.

6. Еле́на Ива́новна Со́мова не зна́ет что де́лать с сы́ном потому́ что он увлёкся компью́терными и́грами.

7. Я про́сто не представля́ю себе́ что я де́лал бы е́сли бы у меня́ не́ было увлече́ний.

8. Осо́бенно мне нра́вится фотографи́ровать незнако́мых люде́й кото́рых я случа́йно заме́тил на у́лице хо́чется ула́вливать неповтори́мые выражения глаз ми́мику же́сты.

9. Уве́рен что спи́сок мои́х увлече́ний ещё попо́лнится в бу́дущем потому́ что в ми́ре сто́лько всего́ интере́сного!

10. Коллекциони́ровать значки́ бы́ло немно́го сложне́е потому́ что их нельзя́ бы́ло вы́писать по по́чте.

11. Собира́й ма́рки е́сли тебе́ э́то интере́сно!

12. Я могу́ до́лго перечисля́ть свои́ увлече́ния потому́ что их о́чень мно́го.

8-19 | Сложноподчинённые предложения. Прочитайте блог Тани Белецкой о свободном времени и расставьте недостающие запятые.

Привет!

Вы хотите узнать чем я занимаюсь в свободное время?

Ой, чем только не занимаюсь! Начиная с вышивки крестом и заканчивая походом на дискотеку на которую обычно хожу с друзьями. Да, я люблю всё: читать, слушать музыку, смотреть телевизор. Читаю я всё, от серьёзных классиков до иронических детективчиков Донцовой которые очень нравятся моей маме. И смотрю я всё: исторические фильмы, триллеры, французские комедии которые обожает моя бабушка. А вот слушаю я только рок. Мой папа тоже слушал только рок когда был молодым.

Но это всё были, так сказать, хобби сегодняшнего тинейджера. А есть у меня весьма серьёзные занятия с которыми я в дальнейшем свяжу свою жизнь: с удовольствием занимаюсь журналистикой и изучаю испанский язык.

Из школьных предметов предпочитаю гуманитарные: русский, литературу, историю, английский... Но только в этом году я обнаружила что и математика – интересная наука... Это невероятное открытие!

Детство

9

ГЛАВА

В этой главе:

1. Сочинение о детстве.
2. Отрывок из рассказа И. Андроникова «Первый раз на эстраде».
3. Правописание. Безударные гласные в корне слова.
4. Пунктуация:
   - тире между подлежащим и сказуемым;
   - вводные слова и словосочетания.

9-1 | Прочитайте сочинение Саши Самойловой.

Де́тство – э́то са́мый прекра́сный пери́од на́шей жи́зни. Мы всегда́ стара́емся вспомина́ть о нём, потому́ что э́то для мно́гих са́мое я́ркое вре́мя. Моё де́тство бы́ло не сли́шком давно́. Мно́гие ду́мают, что де́тство живёт во мне и по сей день...

Я была́ о́чень «ра́нним» ребёнком: уже́ в три го́да моя́ ба́бушка научи́ла меня́ чита́ть и писа́ть, а с четырёх лет води́ла меня́ в де́тский теа́тр на все спекта́кли. Кро́ме того́, в три го́да праде́душка научи́л меня́ игра́ть в ка́рты, и я постоя́нно с ним игра́ла на конфе́ты и ча́сто вы́игрывала. Ещё мне бы́ло неинтере́сно обща́ться со свои́ми све́рстниками, но я с удово́льствием обща́лась с друзья́ми мое́й ста́ршей сестры́, кото́рые меня́ о́чень люби́ли.

В де́тский сад я пошла́ в четы́ре го́да. Я о́чень не люби́ла ходи́ть туда́, потому́ что ну́жно бы́ло ра́но встава́ть. В де́тском саду́ я ча́сто хулига́нила, но все воспита́тели люби́ли меня́. Мы с ма́мой вели́ «Кни́гу, кото́рая растёт вме́сте с Са́шей». В э́той кни́ге бы́ли ра́зные све́дения обо мне́ в ра́зном во́зрасте. Наприме́р, в два го́да я была́ похо́жа на ба́бушку глаза́ми, на па́пу хара́ктером, на де́да бровя́ми, а на ма́му волоса́ми. Моё пе́рвое сло́во бы́ло «дай». Хара́ктер был у меня́ упря́мый. Моё са́мое большо́е жела́ние – дом для ку́клы Ба́рби. В пять лет хоте́ла стать парикма́хером, когда́ вы́расту, пото́м ветерина́ром. При э́том живо́тных я не люби́ла и боя́лась, а мое́й люби́мой кни́гой бы́ли «Три поросёнка». Мои́м люби́мым ви́дом спо́рта бы́ло фигу́рное ката́ние. Мой люби́мый фильм – «Опера́ция “Ы” и други́е приключе́ния Шу́рика», люби́мая телепереда́ча – «Споко́йной но́чи, малыши́». Люби́мая оде́жда – ю́бка и футбо́лка, люби́мый цвет – ора́нжевый, а люби́мая игру́шка – ку́кла Ба́рби. Люби́мое блю́до в де́тстве – пюре́ и соси́ски, а за́пах – арома́т роз. С тех пор прошло́ нема́ло лет, и мои́ вку́сы, коне́чно же, си́льно измени́лись!

Что я ещё по́мню? По́мню, что я боя́лась враче́й, а осо́бенно стомато́лога. Я о́чень пла́кала и тре́бовала за ка́ждый вы́леченный зуб каку́ю-нибудь игру́шку. И, коне́чно, получа́ла! Я по́мню та́кже, что перепро́бовала всё. Я ходи́ла и на гимна́стику, и в бассе́йн, и на рисова́ние. Кро́ме того́, я люби́ла дари́ть пода́рки и мно́гие пода́рки де́лала свои́ми рука́ми, что безу́мно нра́вилось мои́м ба́бушкам, и де́душкам, и всем други́м ро́дственникам. Я всегда́ помога́ла роди́телям. Я ходи́ла в магази́н, де́лала убо́рку в до́ме, помога́ла в саду́ и на ку́хне. Я обожа́ла своего́ па́пу. Разуме́ется, я была́ про́сто на седьмо́м не́бе от сча́стья, когда́ он игра́л со мно́й. Мы в шу́тку драли́сь, он ката́л меня́ на спине́ и плеча́х. Мы мно́го смея́лись и крича́ли. И вообще́, в на́шем до́ме всегда́ бы́ло ве́село, шу́мно и ую́тно.

Сло́вом, хоро́шее у меня́ бы́ло де́тство. Мно́го любви́ и тепла́... А э́то, по моему́ мне́нию, о́чень ва́жно для челове́ка: име́ть хоро́шее де́тство, име́ть ра́достные воспомина́ния.

9-2 | Прочитайте о детстве Саши Самойловой ещё раз. Выпишите, что Саша любила в детстве. Напишите, что вы любили в детстве.

	Са́ша Само́йлова	Я
Вид спо́рта		
Еда́		
Живо́тное		
За́пах		
Игру́шка		
Кни́га		

Оде́жда		
Телепереда́ча		
Фильм		
Цвет		

9-3 | Выпишите ответы на следующие вопросы из сочинения Саши Самойловой (в 9-1). Напишите свои ответы на эти же вопросы. Отвечайте полными предложениями!

1. Како́е бы́ло пе́рвое сло́во, кото́рое произнесла́ Са́ша? Како́е бы́ло ва́ше пе́рвое сло́во?
2. На кого́ была́ похо́жа Са́ша в де́тстве? На кого́ вы бы́ли похо́жи?
3. Како́й у Са́ши был хара́ктер в де́тстве? Како́й у вас был хара́ктер в де́тстве?
4. Когда́ Са́ша научи́лась чита́ть и писа́ть? Когда́ вы научи́лись чита́ть и писа́ть?
5. Кто Са́шу научи́л писа́ть и чита́ть? Кто вас научи́л писа́ть и чита́ть?
6. Когда́ Са́ша пошла́ в де́тский сад? Когда́ вы пошли́ в де́тский сад?
7. Са́ше нра́вилось в де́тском саду́? А вам?
8. Кем Са́ша хоте́ла стать в де́тстве? Кем вы хоте́ли стать в де́тстве?
9. Како́е у Са́ши бы́ло са́мое большо́е жела́ние в де́тстве? А у вас?

9-4 | Прочитайте сочинение Саши Самойловой (в 9-1) ещё раз и найдите введение, основную часть и заключение. Кратко напишите, о чём Саша пишет в каждой из этих частей.

1) Во введении

___

___

2) В основной части

____

____

____

____

3) В заключении

____

____

9-5 | Прочитайте слова и выражения в таблице, приведённой ниже. Найдите, какие из них используются в сочинении Саши Самойловой (в 9-1). Как вы думаете, зачем они используются?

Средства связи элементов текста

Присоединение информации	кро́ме того́, при э́том, ещё, та́кже
Иллюстрация, уточнение	наприме́р, осо́бенно
Уверенность/неуверенность	коне́чно, разуме́ется, наве́рное, возмо́жно, мо́жет, мо́жет быть, ка́жется, пра́вда
Вывод	вообще́, в о́бщем, сло́вом

9-6 | Перепишите текст, сделав его более связным. Устраните ненужные повторы, объедините простые предложения в сложные с помощью различных союзов. Используйте также необходимые средства связи из 9-5.

В детский сад Саша пошла в четыре года. Саше надо было рано вставать. Саша очень не любила ходить в детский сад. В детском саду Саша часто хулиганила. У Саши был упрямый характер. Все воспитатели любили Сашу. Сашина мама вела „Книгу, которая растёт вместе с Сашей". В книге были разные сведения о Саше в разном возрасте. В два года Саша была похожа на бабушку. Это нравилось бабушке и дедушке. Первое слово Саши было „дай". В пять лет Саша хотела стать парикмахером, когда вырастет. Саша хотела стать ветеринаром. Её дедушка был ветеринаром.

9-7 | Кратко напишите, почему, по мнению Саши Самойловой, важно иметь хорошее детство. А как вы думаете, важно ли, чтобы у человека было хорошее детство? Постарайтесь использовать следующие слова: *например*, *особенно*, *конечно*, *разумеется*, *кроме того*, *словом*, *вообще*.

9-8 | Прочитайте отрывок из рассказа И. Андроникова «Первый раз на эстраде» и составьте план в форме вопросов. Озаглавьте этот отрывок.

Основны́е ка́чества моего́ хара́ктера с са́мого де́тства – засте́нчивость и любо́вь к му́зыке. С них всё и начало́сь. Пра́вда, в засте́нчивость мою́ тепе́рь уже́ никто́ не ве́рит. И сам я иногда́ начина́ю сомнева́ться, име́ю ли я основа́ния де́лать подо́бную деклара́цию.

Но е́сли бы я ошиба́лся – не́ было бы никако́го расска́за. И́бо ещё в Тбили́си, бу́дучи шко́льником, я самому́ себе́ постесня́лся созна́ться в том, что бо́льше всего́ на све́те люблю́ му́зыку. Постесня́лся созна́ться в э́том роди́телям, не сказа́л им, что не хочу́ идти́ в университе́т, а хочу́ в консервато́рию, и в результа́те э́тих умолча́ний угоди́л пря́мо на исто́рико-филологи́ческий факульте́т Ленингра́дского университе́та. Ленингра́д же – оди́н из музыка́льнейших городо́в в ми́ре. И, коне́чно, получи́лось так, что, посеща́я университе́тские ле́кции и слу́шая предме́ты филологи́ческие, я ду́шу свою́ посвяти́л му́зыке. Стал бе́гать на оркестро́вые репети́ции и конце́рты в зал Ленингра́дской филармо́нии, за́йцем[7] проходи́л в кла́ссы консервато́рии, накупи́л себе́ музыка́льной литерату́ры, повёл дру́жбу с музыка́нтами.

9-9 | Подготовка к изложению. Выпишите ключевые слова и выражения из текста в 9-8.

9-10 | Изложение. Напишите изложение отрывка из рассказа И. Андроникова «Первый раз на эстраде» в 9-8, используя выписанные вами ключевые слова и выражения (9-9) и опираясь на составленный вами план (9-8).

9-11 | Диктант с элементами изложения. Прослушайте три раза отрывки из рассказа Тамары о своём детстве. Заполните пропуски. Напишите, что Тамара делала в 8 лет. Используйте следующие слова: *впервые пришла*, занятие *по (чему?)*, *показалось (каким?)*, *после занятия*, *подошла к тренеру*, *поинтересоваться (чем?)*, *похвалят*, *оказалось*, *расстроилась*, *уговорила*, *продолжила заниматься*.

Я хочу вам рассказать о своей жизни, а точнее, о некоторых

своих воспоминаниях, о ______________________________.

[7] За́йцем – без биле́та, беспла́тно.

2 года. ______________ я в Юрмале, а потом мы _________________ жить в Ригу. Я всё ещё помню, как мы всей семьёй каждый день ______________ по берегу, помню ________________ чаек, высокие, стройные зелёные ______________________, помню тот прекрасный морской ________________, которого так ________________ в городе…

7 лет. Я стою в белой _____________ и в чёрном ______________. Впервые я ____________________так уверенно и гордо, ведь это моя первая школьная линейка. И это означает, что я ________________ первый класс рижской 86-й средней школы. Помню, как будущие выпускники школы ________________ нас до самого нашего первого класса. Вели нас за руку и ________________ нам всем по воздушному _____________________!

8 лет. ____

____

____

____

____

____

____

____

9-12 | Напишите сочинение о своём детстве. В вашем сочинении должны быть следующие структурные элементы: введение, основная часть и заключение. Используйте следующие слова: *например, особенно, конечно, разумеется, кроме того, словом, вообще*.

ПРАВОПИСАНИЕ

Проверяемые безударные гласные
Под ударением пишется гласная, которая слышится. Если на гласную в корне слова не падает ударение, её можно проверить, подобрав однокоренное слово или изменив форму слова так, чтобы на эту гласную падало ударение, например: *лесá (лес)*, *сады́ (сад)*, *моря́ (мóре)*.

Непроверяемые безударные гласные
Написание безударных гласных, которые не могут быть проверены ударением, определяется по орфографическому словарю, например: *Росси́я*, *Москвá*, *биогрáфия*, *собáка*, *рабóта*, *ребя́та*, *пальтó*, *одéжда*, *посу́да*. Такие слова надо запомнить. Отдельные правила существуют для корней с чередованием, например: *кас-/кос-*, *гар-/гор-*, *раст-/рост-*, *бер-/бир-* и др. Подробно см.: www.gramota.ru/class/coach/tbgramota/45-93.

9-13 | Проверяемые безударные гласные. Впишите пропущенные буквы, используя проверочные слова в скобках.

1) (в) г_ду́ (год)
2) с_мья́ (сéмьи)
3) б_ли́т (боль)
4) (иду) д_мóй (дом)
5) с_стрá (сёстры)
6) ж_нá (много жён)
7) гл_зá (глаз)
8) н_гá (нóги)
9) (на) дв_рé (двор)
10) вр_чи́ (врач)
11) х_тéть (он хóчет)
12) п_сьмó (пи́сьма)
13) р_ди́ться (род)
14) р_ди́тели (род)

15) нéск_лько (скóлько)

16) б_льшóй (бóльше)

17) (они) м_гли́ (мог)

18) б_жáть (бег)

19) л_снóй (лес)

20) в_дá (пить вóду)

9-14 | Непроверяемые безударные гласные. Напишите по одному предложению со следующими словами, написание которых надо запомнить.

Росси́я
Москвá
биогрáфия
собáка
рабóта
ребя́та
пальтó
одéжда
посýда

ПУНКТУАЦИЯ

Тире между подлежащим и сказуемым

1. Тире ставится между подлежащим и сказуемым, когда опущено слово ЕСТЬ и когда подлежащее и сказуемое выражены существительными, например: *Моя любимая игрушка – кукла Барби. Мой папа – архитектор, а мама – врач.*
2. Тире ставится перед словом ЭТО, например: *Детство – это самый прекрасный период нашей жизни.*

Грамматическая справка

Подлежащее – главный член предложения, который обозначает предмет речи, грамматически соотносится со сказуемым, не зависит от других членов предложения и отвечает на вопросы именительного падежа (*кто? что?*).

Сказуемое – главный член предложения, который обозначает действие, признак, качество, состояние предмета, названного подлежащим, грамматически зависит от подлежащего и отвечает на вопросы *что делает предмет? каков предмет? что с ним происходит? кто он такой? что он такое?* и др.

Вводные слова и словосочетания

Вводные слова и словосочетания выделяются запятыми.

Способы связи	Пример
Для выражения отношения говорящего к тексту	коне́чно, разуме́ется, действи́тельно, наве́рное, возмо́жно, мо́жет, мо́жет быть, ка́жется, пра́вда, к сча́стью, к несча́стью, к ра́дости, к сожале́нию, к удивле́нию, к у́жасу, верне́е, точне́е, скоре́е, други́ми слова́ми, ина́че говоря́, коро́че говоря́
Для организации текста	говоря́т, сообща́ют, по мне́нию..., по-мо́ему, по-тво́ему, по-на́шему, по-ва́шему, с то́чки зре́ния, как говоря́т, как пи́шут, как изве́стно, ита́к, сле́довательно, зна́чит, наконе́ц, наоборо́т, ме́жду про́чим, в о́бщем, в ча́стности, пре́жде всего́, кро́ме того́, гла́вное, таки́м о́бразом, наприме́р, во-пе́рвых, во-вторы́х, с одно́й стороны́, с друго́й стороны́

9-15 | Тире между подлежащим и сказуемым. Прочитайте предложения и поставьте тире.

1. Мой люби́мый фильм «С лёгким па́ром».
2. Моя́ люби́мая оде́жда ю́бка и футбо́лка.
3. Мой люби́мый спорт фигу́рное ката́ние.
4. Моё люби́мое блю́до в де́тстве пюре́ и соси́ски.
5. Москва́ э́то столи́ца Росси́и.
6. Моя́ ба́бушка учи́тельница матема́тики, а де́душка инжене́р.

9-16 | Вводные слова и словосочетания. Перечитайте текст в 9-1 и выпишите вводные слова.

9-17 | Вводные слова и словосочетания. Прочитайте предложения и расставьте запятые.

1. Кро́ме того́ в три го́да праде́душка научи́л меня́ игра́ть в ка́рты и я постоя́нно с ним игра́ла на конфе́ты.
2. Наприме́р в два го́да я была́ похо́жа на ба́бушку глаза́ми на па́пу хара́ктером.
3. Мои́ вку́сы коне́чно же си́льно измени́лись!
4. И коне́чно я получа́ла всё что проси́ла!
5. Кро́ме того́ я люби́ла дари́ть пода́рки.
6. Разуме́ется я была́ про́сто на седьмо́м не́бе от сча́стья когда́ он игра́л со мно́й.
7. И вообще́ в на́шем до́ме всегда́ бы́ло ве́село шу́мно и ую́тно.
8. Пра́вда в засте́нчивость мою́ тепе́рь уже́ никто́ не ве́рит.
9. Коне́чно получи́лось так что я ду́шу свою́ посвяти́л му́зыке.
10. Ещё я люби́ла рисова́ть.
11. Осо́бенно мне нра́вились карти́ны Ре́риха.
12. По моему́ мне́нию о́чень ва́жно для челове́ка име́ть хоро́шее де́тство име́ть радо́стные воспомина́ния кото́рые могу́т помо́чь в тру́дную мину́ту.

9-18 | Вводные слова и словосочетания. Прочитайте блог Ольги Фёдоровой и расставьте недостающие запятые.

Всем привет! Разрешите представиться: Фёдорова Ольга Константиновна, но друзья конечно называют меня просто... Олька.

С самого раннего детства мой папа (профессиональный спортсмен!) учил меня всё делать самой, никогда не жаловаться и различать главные и второстепенные вещи. И я никогда не говорила, во-первых что мне больно, упав с дерева, во-вторых я никогда не просила мне помочь, даже если знала, что сама ни за что не справлюсь. Но правда единственное, чего я никогда не умела – это отказаться от какой-нибудь вечеринки в пользу сидения за уроками! К сожалению не могу я не общаться с друзьями, не повисеть на телефоне или что-нибудь в этом духе!

Видя мою беготню с места на место, папа всегда говорил, что я «распыляюсь, не вижу главного», но только в этом году я наконец стала понимать, что папа конечно прав. И только в этом году я стала учиться распределять своё время.

Короче говоря сейчас я изо всех сил пытаюсь везде успеть: и зайти после школы к подруге, и поболтать по телефону со всеми своими одноклассниками, и сделать уроки, за которыми порой засиживаюсь до полуночи. Но что уж теперь?! Такая вот я: активная, общительная, почти всё успевающая!

10 ГЛАВА

Из истории моей семьи

В этой главе:

1. Рассказ об истории семьи.
2. Отрывок из повести Александра Рекемчука «Мальчики».
3. Правописание:
   - сочетания ОРО – ОЛО;
   - особенности правописания существительных на -ИЕ, -ИЯ, -Ь.
4. Пунктуация. Запятые при союзах А, НО, ОДНАКО, ИЛИ, ТО ЕСТЬ.

10-1 | Прочитайте рассказ Дарьи Мелёхиной «Из истории моей семьи». Найдите и подчеркните вводные слова или словосочетания.

(I) В на́шей семье́ пра́деды и праба́бушки передава́ли свои́м де́тям семе́йные исто́рии. Мо́жет, я то́же расскажу́ вну́кам о своём де́тстве и о жи́зни всей на́шей большо́й семьи́, и они́ бу́дут э́то слу́шать с больши́м интере́сом, та́к же как и я слу́шала расска́з ба́бушки о жи́зни её роди́телей и исто́рии её семьи́. Вот э́та исто́рия.

(II) Моя́ праба́бушка по отцо́вской ли́нии, Никола́ева Да́рья Серге́евна, родила́сь 5 ноября́ 1907 го́да в сиби́рской дере́вне в семье́ крестья́нина. Семья́ была́ больша́я: ше́стеро дете́й, три бра́та и три сестры́. Дом был большо́й, все жи́ли вме́сте, вме́сте рабо́тали. Бра́тья помога́ли отцу́, а сёстры помога́ли ма́тери по до́му. В шко́лу Да́рья пошла́ в во́семь лет, но учи́лась недо́лго, потому́ что на́до бы́ло рабо́тать. Всё-таки чита́ть научи́лась. В семна́дцать лет вы́шла за́муж. Му́жа зна́ла пло́хо и не люби́ла, но челове́к он был хоро́ший, до́брый. Да́рья полюби́ла его́, и он то́же о́чень люби́л жену́. Жи́ли у роди́телей му́жа. Родили́сь де́ти, дочь и сын.

(III) В тридца́тые го́ды начали́сь ста́линские репре́ссии. Аресто́вывали бога́тых крестья́н – кулако́в. В 1932 году́ всю семью́ привезли́ на ста́нцию, посади́ли на по́езд и отвезли́ да́льше на восто́к, в тайгу́. Еды́ не́ было, е́ли всё, что могли́ найти́. Муж и дочь Да́рьи ско́ро у́мерли, у́мерли и роди́тели му́жа. Наконе́ц

Да́рья реши́ла бежа́ть. С сы́ном она́ три ме́сяца шла в свою́ дере́вню. Иногда́ до́брые лю́ди дава́ли ей хлеб и во́ду. Пришла́ в свою́ дере́вню и уви́дела мать, кото́рая ещё была́ жива́. Да́рья начала́ рабо́тать на ша́хте. А в 1936 году́ на ша́хту прие́хал но́вый инжене́р, Никола́й Ива́нович Серге́ев. Да́рья была́ краса́вицей и ему́ понра́вилась, и он сде́лал ей предложе́ние. Она́ снача́ла не хоте́ла, но в конце́ концо́в вы́шла за него́ за́муж.

(IV) В 1941 году́ муж ушёл на войну́, был ра́нен, но верну́лся – с ордена́ми и меда́лями. Жи́ли они́ вме́сте три́дцать пять лет, о́чень люби́ли друг дру́га, и у них роди́ли́сь пять дочере́й и четы́ре сы́на. Одно́й из дочере́й и была́ моя́ ба́бушка, Валенти́на Никола́евна Серге́ева. Жизнь была́, коне́чно, тяжёлая, как у всех, но ничего́, вы́жили. Мой пра́дед у́мер в 1972 году́. А праба́бушка Да́рья дожила́ до 1998 го́да. У неё оста́лось се́меро дете́й, два́дцать оди́н внук, два́дцать пять пра́внуков и одна́ пра́внучка – я, Да́рья Степа́новна Мелёхина, на́званная Да́рьей в честь праба́бушки Да́рьи.

10-2 | Прочитайте и перепишите предложения в логическом порядке.

Жили у родителей мужа. Семья была большая: шестеро детей, три брата и три сестры. В семнадцать лет вышла замуж. Моя прабабушка, Николаева Дарья Сергеевна, родилась 5 ноября 1907 года в сибирской деревне в семье крестьянина. Дом был большой, все жили вместе, вместе работали. В школу Дарья пошла в восемь лет, но училась недолго, потому что надо было работать. Братья помогали отцу, а сёстры помогали матери по дому. Дарья полюбила его, и он тоже очень любил жену. Мужа знала плохо и не любила, но человек он был хороший, добрый.

10-3 | Перепишите текст, сделайте его связным. Устраните ненужные повторы, объедините простые предложения в сложные при помощи различных союзов.

В 1941 году муж Дарьи ушёл на войну. Муж Дарьи был ранен на войне. Муж Дарьи вернулся с войны с орденами и медалями. Дарья прожила с мужем тридцать пять лет. Они очень любили друг друга. У них родились пять дочерей и четыре сына. Муж Дарьи умер в 1972 году. А Дарья дожила до 1998 года. У неё осталось семеро детей, двадцать один внук, двадцать пять правнуков и одна правнучка.

10-4 | Перечитайте первый и третий абзацы из рассказа Дарьи Мелёхиной в 10-1 и определите основное содержание каждого абзаца, выбрав наиболее подходящий вариант ответа.

1. В пе́рвом (I) абза́це речь идёт о том,
   а) кака́я у Да́рьи хоро́шая семья́.
   б) почему́ Да́рья реши́ла написа́ть об исто́рии свое́й семьи́.
   в) что Да́рья хо́чет име́ть большу́ю семью́.
2. В тре́тьем (III) абза́це речь идёт о том,
   а) что произошло́ с семьёй Да́рьи Никола́евой в тридца́тые го́ды.
   б) что жизнь Да́рьи Никола́евой была́ всегда́ о́чень тяжёлой и сло́жной.
   в) что Да́рья Никола́ева два ра́за выходи́ла за́муж.

10-5 | Перечитайте второй и четвёртый абзацы из рассказа Дарьи Мелёхиной в 10-1 и кратко напишите, о чём идёт речь в этих абзацах.

1. Во второ́м (II) абза́це речь идёт о то́м, (где..., в како́й..., како́е..., когда́..., кто...)

2. В четвёртом (IV) абза́це речь идёт о то́м, ...

10-6 | Перечитайте рассказ в 10-1 и напишите план в форме вопросов (один вопрос к каждому абзацу).

10-7 | Изложение. Напишите изложение рассказа Дарьи Мелёхиной о бабушке в 10-1 с опорой на план в 10-6. Используйте слова и выражения, близкие к оригиналу, а также постарайтесь сохранить структуру излагаемого текста. Озаглавьте ваше изложение.

10-8 | Прочитайте отрывок из повести Александра Рекемчука «Мальчики» и составьте план в форме утверждений.

Когда́ я, как говори́тся, ста́ну челове́ком – бу́ду сам зараба́тывать свой хлеб, име́ть свой у́гол, – вот тогда́ пе́рвым де́лом я заведу́ пса.

Потому́ что жи́знью свое́й я обя́зан соба́ке.

То есть, коне́чно, свое́й жи́знью я обя́зан роди́телям: отцу́ и ма́тери. Оте́ц мой, Про́хоров Генна́дий Петро́вич, был арме́йским капита́ном. Мать, Про́хорова Тама́ра Алекса́ндровна, была́ военфе́льдшером. Пожени́лись они́ на фро́нте, а по́сле войны́ обоснова́лись в го́роде Ашхаба́де. Зде́сь-то я и роди́лся.

А в ночь на шесто́е октября́ 1948 го́да произошло́ ашхаба́дское землетрясе́ние. Го́род ру́хнул, погребя́ под свои́ми камня́ми люде́й. В том числе́ и мои́х роди́телей. Вот так – провоева́ли всю войну́, и не тро́нули их пу́ли, а уже́ при по́лном ми́ре, ти́хой но́чью, в поко́йном сне придави́ла упа́вшая стена́.

Но как же уцеле́л и спа́сся, оста́лся жив я сам? Ведь и я был в ту ночь вме́сте с ни́ми, в той же ко́мнате, спал в свое́й де́тской крова́тке...

Ничего́ э́того сам я, коне́чно, не по́мню – ро́вным счётом ничего́: ни землетрясе́ния, ни бе́дных свои́х роди́телей, ни своего́ чуде́сного спасе́ния. Ведь мне в ту по́ру ещё и двух лет не испо́лнилось. Но впосле́дствии одна́ же́нщина, кото́рая зна́ла мои́х роди́телей, рассказа́ла мне всё...

Бу́дто в на́шей семье́ была́ соба́ка, овча́рка по и́мени Рекс. Она́, как и поло́жено соба́ке, ве́рно служи́ла хозя́евам, но бо́льше всех люби́ла меня́, хотя́ я и был совсе́м ма́леньким, – она́ сторожи́ла меня́, когда́ роди́телей не́ было до́ма, пригля́дывала.
И вот в ту са́мую ночь, когда́ ашхаба́дские жи́тели спа́ли, а до толчка́ остава́лось ещё не́сколько секу́нд, соба́ка услы́шала, как изнутри́ загуде́ла земля́ (они́ ведь, живо́тные, гора́здо ра́ньше люде́й тако́е слы́шат и ра́ньше чу́ют беду́), и тогда́ она́ вспры́гнула на мою́ крова́ть, вцепи́лась зуба́ми в рубашо́нку и одни́м ма́хом вы́скочила в окно́: оно́ оказа́лось откры́тым, потому́ что ночь была́ о́чень ду́шная. И то́тчас обру́шился дом.

Так соба́ка спасла́ меня́.

Журна́л «Ю́ность», № 6–7, 1970 г.

10-9 | Подготовка к изложению. Выпишите ключевые слова и выражения из текста в 10-8.

10-10 | Изложение. Напишите изложение отрывка из повести Александра Рекемчука «Мальчики» (10-8), используя выписанные вами ключевые слова и выражения (10-9) и опираясь на составленный вами план (10-8).

10-11 | Сочинение. Напишите сочинение об истории вашей семьи или семьи ваших друзей, знакомых. Данные вопросы помогут вам.

1. Кто ва́ши/их де́душка и ба́бушка (по отцо́вской ли́нии / по матери́нской ли́нии)?
2. Где они́ родили́сь и вы́росли?
3. Чем они́ занима́лись?
4. Как они́ познако́мились?
5. Где и кака́я была́ сва́дьба?
6. Где и как они́ жи́ли?
7. Куда́ и почему́ переезжа́ли?
8. Ско́лько у них родило́сь дете́й?
9. Где ва́ши/их роди́тели родили́сь и вы́росли?
10. Где учи́лись и рабо́тали?
11. Как они́ познако́мились?
12. Где и как жи́ли?
13. Ско́лько у них родило́сь дете́й?
14. Когда́ вы/они́ родили́сь?

ПРАВОПИСАНИЕ

Сочетания ОРО – ОЛО

Слышим и говорим	Пишем
[г**о́ра**т]	г**оро**д
[х**ара**шо́]	х**оро**шо
[м**ала**ко́]	м**оло**ко
[з**о́ла**та]	з**оло**то

Особенности правописания существительных на -ИЕ, -ИЯ, -Ь

Существительные на -ИЕ, -ИЯ и существительные женского рода на -Ь в предложном падеже единственного числа имеют окончание **-И**. Например: *общежити**е** – Мои родители познакомились, когда жили в общежити**и**. Росси**я** – Моя семья живёт в Росси**и**. Сибир**ь** – Мой дед родился в Сибир**и**.*
Но: *Польш**а** – Я родилась в Польш**е**. Париж – Брат родился в Париж**е**.*

10-12 | Сочетания ОРО – ОЛО. Впишите пропущенные буквы.

1) д_рога
2) х_лодный
3) зд_ровый
4) В_лодя
5) наоб_рот
6) к_роткий
7) г_лова
8) тв_рог
9) К_роленко
10) ст_рожить
11) п_росёнок
12) б_рода
13) к_роткий
14) к_робка

10-13 | Особенности правописания существительных на -ИЕ, -ИЯ, -Ь. Закончите предложения, используя слова в скобках в правильной форме.

1. Раньше моя семья жила в (Таллин) _______________, в (Эстония) _____________________.
2. Мама родилась и окончила школу в (Израиль) ________________.
3. Дедушка познакомился с бабушкой в 1920 году во (Франция) _____________________.
4. Они поженились в 1985 году в (Милан) __________________, в (Италия) __________________.
5. Он окончил университет в (Вена) __________________, в (Австрия) _____________________.
6. Свадьба была в (Рига), в (Латвия) _____________________.
7. Их сын родился в 1995 году в (Греция) _____________________.
8. Они развелись в 1998 году в (Германия) _____________________.
9. Бабушка родилась в (Англия) ____________________.

10. Давайте встретимся на (площадь) ____________________ около

(станция) ________________ метро «Спортивная»!

11. Запишите в (тетрадь) ___________________ это предложение!

ПУНКТУАЦИЯ

Запятые при союзах А, НО, ОДНАКО, ИЛИ, ТО ЕСТЬ

Перед союзами А и НО всегда ставятся запятые.
В сложносочинённом предложении ставятся запятые перед союзами ОДНАКО, ИЛИ, ТО ЕСТЬ. Например: *Мы поехали домой, а Коля остался. Он нас звал, но мы не услышали. Она мне нравилась всё больше и больше, однако я был ей несимпатичен.*

Грамматическая справка

Сложносочинённое предложение – это сложное предложение, в котором простые предложения связаны сочинительными союзами и, как правило, равноправны грамматически и по смыслу.

10-14 | Запятые в сложносочинённом предложении. Прочитайте и расставьте запятые и ударения в словах.

1. Я очень люблю свою семью однако я мало знаю о её истории.
2. Братья помогали отцу а сёстры помогали матери по дому.
3. В школу Дарья пошла в восемь лет но училась она там недолго.
4. Мужа знала плохо и не любила его но человек он был хороший.
5. Я решила исследовать историю своей семьи то есть узнать откуда приехали мои прабабушка и прадедушка.
6. Он сделал ей предложение но она не хотела выходить за него замуж.
7. Поженились они на фронте а после войны семья обосновалась в городе Ашхабаде.
8. Мы поедем к бабушке или бабушка приедет к нам.
9. Бабушка окончила медицинский институт а дедушка – военно-медицинскую академию.

11

ГЛАВА

Семейные праздники

В этой главе:

1. Поздравительные открытки.
2. Опрос «Как вы относитесь к старому Новому году?».
3. Правописание:
   - мягкий знак (Ь) в глагольных формах;
   - написание -ТСЯ и -ТЬСЯ в глаголах.
4. Пунктуация. Знаки препинания при обращении.

11-1 | Семейные праздники. Прочитайте, какие праздники обычно отмечают в России в кругу семьи. Напишите, какие праздники отмечают в вашей семье.

День рожде́ния, сва́дьба, новосе́лье, Но́вый год, ста́рый Но́вый год, Рождество́, День Побе́ды.

В моей семье мы обычно отмечаем следующие праздники:

___

___

11-2 | Открытки. Прочитайте поздравительные открытки.

Дорогая Любочка!
Поздравляем тебя с днём рождения. Желаем тебе счастья, радости и здоровья. Учись хорошо!!!

Твои дедушка
и бабушка
6 августа 2010 г.

Здравствуйте, дорогие бабушка и дедушка!
Поздравляю вас с Новым годом! Желаю вам всего самого хорошего в наступающем новом году. Здоровья, здоровья и ещё раз здоровья!!!!

Ваша Люба

Дорогие мои Лена и Юра!
Поздравляю вас с днём свадьбы. Успехов, счастья вам желаю! Живите на славу, любите друг друга. Всё в жизни делите, друзья, пополам – и труд и тревоги, что встретятся вам.

Ваша Аня
8/5/2011

Мамочка, поздравляю тебя, папу и бабушку с Рождеством. У меня всё хорошо, много занимаюсь и очень жалею, что не смогу в этом году провести Рождество дома. Очень буду скучать, но никак не удастся приехать.

Целую,
Люба

11-3 | Напишите поздравительные открытки. Используйте образцы из 11-2.

1. Поздравьте брата с днём рождения.
2. Поздравьте тётю и дядю с Новым годом.
3. Поздравьте сестру со свадьбой.

11-4 | Старый Новый год. Прочитайте статью. Напишите:

1) когда в России отмечают старый Новый год;
2) кто участвовал в опросе «Как вы относитесь к старому Новому году?».

Ста́рый Но́вый год у́чит люби́ть семью́ и цени́ть дру́жбу

Но́вый год – э́то люби́мый семе́йный пра́здник всех россия́н, при э́том встреча́ют его́ в Росси́и обы́чно два ра́за: в ночь с 31 декабря́ на 1 января́, а та́кже в ночь с 13 на 14 января́. В ночь с 31 декабря́ на 1 января́ россия́не отмеча́ют Но́вый год по григориа́нскому календарю́, кото́рый был введён в Росси́и в 1918 году́. А в ночь с 13 на 14 января́ отмеча́ют ста́рый Но́вый год, т. е. Но́вый год по ста́рому, юлиа́нскому календарю́, введённому в де́йствие ещё ри́мским импера́тором Ю́лием Це́зарем.

Как вы отно́ситесь к ста́рому Но́вому го́ду? Отмеча́ете ли вы его́? Э́ти вопро́сы мы за́дали на́шим гра́жданам. Оказа́лось, что большинство́ люде́й пра́зднует ста́рый Но́вый год. Причём, по их мне́нию, значе́ние э́того пра́здника в том, что он у́чит люби́ть семью́ и цени́ть дру́жбу.

Татья́на Васи́льева, наприме́р, с удово́льствием отмеча́ет ста́рый Но́вый год. «Есть в пра́здновании ста́рого Но́вого го́да чи́сто росси́йская специ́фика. Ни в одно́й стране́ ми́ра нет тако́го пра́здника. Бо́лее того́, иностра́нцам сло́жно поня́ть э́то стра́нное сочета́ние анто́нимов – ста́рый, но при э́том но́вый год», – сказа́ла Татья́на. «Я о́чень люблю́ э́ту росси́йскую тради́цию и всегда́ отмеча́ю э́тот пра́здник. Ведь как прия́тно собра́ться всем ро́дственникам на семе́йный пра́здник со сме́хом, шу́тками и весе́льем, подня́ть бока́лы шампа́нского и произнести́ тёплые слова́», – заключи́ла Татья́на Васи́льева.

Никола́й Свири́дов то́же позити́вно отно́сится к традиции пра́зднования ста́рого Но́вого го́да. «Моя́ семья́ всегда́ отмеча́ет э́тот пра́здник», – заяви́л Никола́й. По его́ слова́м, вся его́ семья́, как и на традицио́нный Но́вый год, собира́ется за столо́м и обяза́тельно зажига́ет на ёлке гирля́нды. «Кста́ти, ёлку в на́шей семье́ мы наряжа́ем в нача́ле декабря́, а разбира́ем то́лько по́сле ста́рого Но́вого го́да. Ведь хорошо́, когда́ в до́ме стои́т ёлочка, э́то придаёт тепло́ и ую́т», – заме́тил Никола́й Свири́дов, доба́вив при э́том, что пра́здники Но́вый год и ста́рый Но́вый год для него́ о́чень важны́, потому́ что «спла́чивают семью́».

В отли́чие от Татья́ны Васи́льевой и Никола́я Свири́дова, Илья́ Папе́рный счита́ет, что ста́рый Но́вый год сле́дует отмеча́ть не в семье́, а в компа́нии ста́рых до́брых друзе́й. «Как и большинство́ россия́н, я привы́к встреча́ть Но́вый год до́ма, в кругу́ семьи́. Одна́ко ста́рый Но́вый год всегда́ отмеча́ю в компа́нии ста́рых до́брых друзе́й. Э́то хоро́ший по́вод собра́ться, вспо́мнить, как мы вме́сте отмеча́ли э́тот пра́здник мно́го лет наза́д, подели́ться пла́нами и наде́ждами на предстоя́щий год», – рассказа́л Илья́.

Одна́ко в Росси́и существу́ют лю́ди, кото́рые счита́ют иску́сственной тради́цию пра́зднования ста́рого Но́вого го́да. Наприме́р, Игорь Медве́дев. «Я не скло́нен приде́рживаться да́нного обы́чая», – заяви́л он.

11-5 | Просмотрите статью «Старый Новый год» (в 11-4). Напишите ответы на следующие вопросы.

1. По како́му календарю́ отмеча́ют Но́вый год в Росси́и в ночь с 31 декабря́ на 1 января́?
2. По како́му календарю́ отмеча́ют ста́рый Но́вый год в Росси́и в ночь с 13 на 14 января́?
3. Мно́го ли люде́й отмеча́ет ста́рый Но́вый год?
4. В чём, по мне́нию мно́гих люде́й, состои́т значе́ние э́того пра́здника?
5. Кто отно́сится к пра́зднованию ста́рого Но́вого го́да позити́вно?
6. Кто отно́сится к пра́зднованию ста́рого Но́вого го́да негати́вно?
7. Кто пра́зднует ста́рый Но́вый год в кругу́ семьи́?
8. Кто счита́ет, что на́до пра́здновать ста́рый Но́вый год в кругу́ друзе́й?

11-6 | Прочитайте слова и выражения в таблице. Найдите, какие из них используются в статье «Старый Новый год» (11-4). Как вы думаете, зачем они используются?

Средства связи элементов текста

Присоединение информации	та́кже, то́же, кро́ме того́, при э́том, ещё, кста́ти, бо́лее того́
Противопоставление и сопоставление информации	но, одна́ко, напро́тив, в отли́чие от (кого́? чего́?)
Пояснение и уточнение информации	то есть, ины́ми слова́ми, точне́е говоря́, причём, осо́бенно, ведь
Иллюстрация, уточнение	наприме́р, осо́бенно
Уверенность/неуверенность	коне́чно, разуме́ется, наве́рное, возмо́жно, мо́жет, мо́жет быть, ка́жется, пра́вда
Вывод	сло́вом, вообще́, в о́бщем

11-7 | Перепишите текст, расположив предложения в логическом порядке. Добавьте следующие средства связи: *однако, в отличие от (кого? чего?), например*.

Он говорит, что это хороший повод собраться, вспомнить, как они вместе отмечали этот праздник много лет назад, поделиться планами и надеждами на предстоящий год. «Старый Новый год всегда отмечаю в компании старых добрых друзей. Я привык встречать Новый год дома, в кругу семьи», – рассказал Илья. Илья Паперный считает, что старый Новый год следует отмечать не в семье, а в компании старых добрых друзей. Игорь Медведев заявил: «Я не склонен придерживаться данного обычая». В России существуют люди, которые считают искусственной традицию празднования старого Нового года.

11-8 | Перепишите текст, сделав его более связным. Устраните ненужные повторы, объедините простые предложения в сложные с помощью различных союзов.

Татьяна Васильева с удовольствием отмечает старый Новый год. Татьяна Васильева очень любит эту российскую традицию. Татьяна Васильева любит собираться с родственниками на семейный праздник со смехом, шутками и весельем. Татьяна Васильева считает, что в праздновании старого Нового года есть чисто российская специфика. Ни в одной стране мира нет празднования старого Нового года. Иностранцам сложно понять это странное сочетание антонимов – старый, но при этом новый год.

11-9 | Изложение. Прочитайте ещё раз мнение Татьяны Васильевой в 11-4 и изложите его, используя следующие ключевые слова и средства связи:

отмечать, с удовольствием, например, в кругу семьи, семейный праздник, российская специфика, страна, традиция, более того, сложно понять, антонимы, ведь, приятно, собраться, шутки, веселье, шампанское, тёплые слова.

11-10 | Перечитайте мнение Николая Свиридова в 11-4 и выпишите ключевые слова. Изложите мнение Н. Свиридова, используя ключевые слова и необходимые средства связи из 11-6.

11-11 | Диктант с элементами изложения. Прослушайте рекламу фирмы «Праздник» три раза и заполните пропуски. Напишите изложение пропущенной заключительной части, расставьте ударения в словах.

Фирма «Праздник»

Семейные торжества

Каждый __________ праздник – это лишний повод встретиться ______________ , живущими иной раз очень далеко от нас. Мы _______________________ такой праздник _______________________ !

Наша компания поможет ____________________ семейный вечер, юбилей, семейный праздник – как в традиционном ______________ , так и в духе нового времени.

День рождения – самый _______________ праздник у каждого. В этот день вы в ____ : всё для вас, о вас и только ради вас! И каждый раз хочется чего-то _____________________ , незабываемого. Мы организуем день рождения и проведём день рождения так, чтобы _____________ _____________________________ чуда оправдалось.

Юбилей – это гораздо больше, чем просто день рождения, вы как бы __________________________________ черту под определённым этапом вашей жизни. Это событие стоит отметить с большим _______________________ и особой торжественностью.

11-12 | Сочинение. Напишите о празднике, который вы отмечаете в кругу семьи. Сначала составьте вопросный план вашего сочинения. Подумайте, о чём вы будете писать во введении, в основной части и в заключении. Используйте средства связи между частями текста из 11-6.

ПРАВОПИСАНИЕ

Мягкий знак (Ь) в глагольных формах

Мягкий знак (Ь) пишется:

1) в неопределённой форме глагола (в инфинитиве), например: *вернуть – вернуться*;
2) в окончании 2-го лица единственного числа *(ты)* настоящего или будущего простого времени, например: *(ты) вернёшь – (ты) вернёшься*;
3) в возвратной частице после гласной, например: (*я*) *вернусь*, (*вы*) *вернётесь*, (*они*) *вернулись*. Обратите внимание, что после согласной пишется *-ся*, например: (*ты*) *вернёшься*, (*он*) *вернулся*;
4) в повелительном наклонении (императиве) после согласных, например: *исправь – исправьте*, *спрячься – спрячьтесь* (но: *ляг – лягте*).

Написание -ТСЯ и -ТЬСЯ в глаголах

Если глагол отвечает на вопрос ЧТО ДЕЛАЕТ? или ЧТО СДЕЛАЕТ?, в нём перед -СЯ мягкий знак не пишется. Если глагол отвечает на вопрос ЧТО ДЕЛАТЬ? или ЧТО СДЕЛАТЬ?, в нём пишется мягкий знак. Например: *Коля (что делает?) учи**тся** в университете. Я хочу (что сделать?) научи**ться** танцевать.*

11-13 | Мягкий знак (Ь) в глагольных формах. Впишите, где надо, пропущенные буквы. Объясните ваши решения.

1. Я много занимаюс_, а Ира мало занимает_ся.
2. Ты напишеш_ маме письмо?
3. Поздрав_те брата с днём рождения.
4. Очень буду скучат_, но никак не удаст_ся приехат_.
5. Учис_ хорошо!
6. Старый Новый год учит любит_ семью и ценит_ дружбу.
7. Как вы относитес_ к старому Новому году?
8. Ты часто пишеш_ открытки друзьям?
9. Старый Новый год – это хороший способ собрат_ся, вспомнит_ прошлый год, поделит_ся планами и надеждами на предстоящий год.
10. Семья собирает_ся за столом и обязательно зажигает_ на ёлке гирлянды.
11. Ты обычно отмечаеш_ старый Новый год?
12. Что ты делаеш_ на старый Новый год?
13. Я хорошо отношус_ к старому Новому году.
14. Садис_!
15. Забуд_те!
16. Ответ_те на моё письмо!
17. Мне это нравит_ся!

ПУНКТУАЦИЯ

Знаки препинания при обращении
Обращения вместе со всеми относящимися к ним словами выделяются запятыми в середине предложения и отделяются запятыми в начале или в конце предложения. Например: *Здравствуй,* ***мой дорогой Коля! Коля****, привет! Я хочу сообщить тебе,* ***Коля****, что у нас всё нормально.*

11-14 | Обращение. Расставьте, где надо, запятые.

1. Татьяна Васильевна как вы относитесь к старому Новому году?
2. Передаём тебе дорогой Михаил поздравления от Ани Дембо.
3. Что тебе пожелать Света?
4. Ира поздравляем тебя с Новым годом!
5. Дорогие бабушка и дедушка поздравляю вас со старым Новым годом!

12 ГЛАВА

Учёба

В этой главе:

1. Рассказ об учёбе.
2. Единый государственный экзамен (ЕГЭ).
3. Санкт-Петербургский университет.
4. Правописание:
   - написание НЕ с глаголами;
   - написание НЕ и НИ с отрицательными местоимениями и наречиями.
5. Пунктуация. Запятая при сложных подчинительных союзах.

12-1 | Прочитайте текст.

Ирина учёба

В нача́льную шко́лу я пошла́ в шесть лет, что бы́ло немно́го ра́ньше, чем при́нято. Обы́чно де́ти шли в шко́лу в семь лет. Учи́лась я в шко́ле оди́ннадцать лет. Учи́лась хорошо́ и все выпускны́е экза́мены сдала́ на отли́чно. По́сле оконча́ния шко́лы я реши́ла поступа́ть в вуз на юриди́ческий факульте́т. Почему́ на юриди́ческий? Я ду́маю, что на мой вы́бор повлия́ло то, что мой де́душка юри́ст и мне всегда́ бы́ло интере́сно всё то, чем он занима́лся. Ко́нкурс в ву́зе был о́чень большо́й, 10 челове́к на ме́сто. Так как я сдала́ вступи́тельные экза́мены хорошо́, а са́мый сло́жный экза́мен, по исто́рии Росси́и, сдала́ на отли́чно, меня́ при́няли!!!

Вуз, в кото́рый я поступи́ла и в кото́ром учи́лась пять с полови́ной лет, называ́лся Волгогра́дская акаде́мия госуда́рственной слу́жбы. Там бы́ло не́сколько факульте́тов: юриди́ческий, экономи́ческий, фина́нсы и креди́т, госуда́рственное и муниципа́льное управле́ние. В акаде́мии бы́ло и пла́тное, и беспла́тное обуче́ние. Благодаря тому́ что я хорошо́ сдала́ экза́мены, я учи́лась беспла́тно. Я изуча́ла мно́го разли́чных предме́тов. Изуча́ла гражда́нское, уголо́вное, семе́йное, жили́щное пра́во. Кро́ме того́, изуча́ла филосо́фию, культуроло́гию, социоло́гию... Я не могу́ сказа́ть, како́й предме́т мне нра́вился бо́льше, так как бы́ло всё интере́сно. Преподава́тели бы́ли о́чень хоро́шие, вуз счита́лся неплохи́м. И ещё за вре́мя учёбы в акаде́мии я вы́шла за́муж, но продолжа́ла учи́ться и око́нчила вуз с о́чень хоро́шими оце́нками.

Я учи́лась в ву́зе на вече́рнем отделе́нии, а днём рабо́тала. Снача́ла я рабо́тала в райо́нном суде́ на́шего го́рода, а пото́м в городско́м суде́. Рабо́та в суде́ мне, коне́чно, о́чень помогла́, ведь я ста́лкивалась ка́ждый день на рабо́те с тем, чему́ я учи́лась в ву́зе. Сло́вом, мои́ зна́ния благодаря́ рабо́те в суде́ ста́ли бо́лее глубо́кими. По́сле оконча́ния акаде́мии я ещё год рабо́тала в суде́. Пото́м ушла́ и в настоя́щий моме́нт прохожу́ стажиро́вку в адвока́тской компа́нии. Через ме́сяц я уже́ могу́ сдава́ть экза́мены на присвое́ние мне ста́туса адвока́та.

12-2 | Прочитайте об Ириной учёбе ещё раз (12-1) и напишите полные ответы на следующие вопросы:

1. Когда́ И́ра пошла́ в шко́лу? Когда́ вы пошли́ в шко́лу?
2. Куда́ И́ра поступи́ла по́сле шко́лы? Куда́ поступи́ли вы?
3. Как И́ра поступа́ла в вуз? Как вы поступа́ли?
4. Почему́ она́ вы́брала юриди́ческий факульте́т?
5. Каку́ю специа́льность вы́брали вы? Что повлия́ло на ваш вы́бор?
6. Каки́е факульте́ты есть в ву́зе, где учи́лась И́ра? А в ва́шем ву́зе?
7. Что тако́е вече́рнее и дневно́е отделе́ние?
8. Что тако́е пла́тное и бесплáтное обуче́ние?
9. Каки́е предме́ты изуча́ла И́ра? Каки́е предме́ты изуча́ете вы?
10. Почему́ И́ра счита́ет, что э́то хорошо́ – учи́ться и одновре́менно рабо́тать по специа́льности? А что вы ду́маете по э́тому вопро́су?
11. Каки́е пла́ны у И́ры, что она́ собира́ется де́лать в дальне́йшем?
12. Каки́е пла́ны у вас, что вы собира́етесь де́лать по́сле оконча́ния университе́та?

12-3 | Прочитайте таблицу. Найдите, какие слова и выражения используются в тексте «Ирина учёба» (12-1). Подчеркните их в тексте.

Последовательность изложения информации

Вводные слова и словосочетания	пре́жде всего́, кро́ме того́, да́лее, наконе́ц, ита́к, ме́жду про́чим, в о́бщем, в ча́стности, гла́вное, во-пе́рвых, во-вторы́х, с одно́й стороны́, с друго́й стороны́
Сложные союзы	в то вре́мя как, по́сле того́ как, пе́ред тем как, с тех пор как, благодаря́ тому́ что, для того́ что́бы
Слова и выражения	снача́ла, пото́м, одновре́менно, в то же вре́мя, в дальне́йшем

12-4 | Перепишите текст, расположив предложения в логическом порядке. Добавьте следующие слова и словосочетания: *сначала*, *одновременно*, *кроме того*, *потом*, *наконец*.

Мои знания благодаря работе в суде стали более глубокими. Я училась в вузе и работала. Через месяц я уже могу сдавать экзамены на присвоение мне статуса адвоката. Работа в суде мне очень помогла, ведь я сталкивалась каждый день на работе с тем, чему я училась в академии. Я работала в районном суде нашего города, а потом в городском. Учила и в настоящий момент прохожу стажировку в адвокатской компании. После окончания вуза я ещё год работала в суде.

12-5 | Перепишите текст, сделав его более связным. Устраните ненужные повторы, объединив простые предложения в сложные с помощью союзов *после того как*, *благодаря тому что*, *в то время как*, *для того чтобы*.

Я окончила школу. Я поступала на юридический факультет. Я хорошо сдала экзамены. Я училась бесплатно. Я училась в университете. Я работала в суде. Я окончила университет. Я продолжала работать в суде ещё год. Теперь я прохожу стажировку в адвокатской компании и через месяц буду сдавать экзамены. Я хочу получить статус адвоката.

12-6 | Напишите об Ириной учёбе. Используйте слова и выражения из списка, приведённого ниже, а также из 12-3.

Пошла в школу, окончила школу, сдала выпускные экзамены, сдала вступительные экзамены, поступила в вуз, училась на вечернем отделении, изучала различные предметы, было интересно, вышла замуж, работала в районном суде, потом в городском, окончила академию, год работала в суде, проходит практику в адвокатской компании, будет сдавать экзамен на присвоение ей статуса адвоката.

12-7 | Прочитайте отрывок из текста «Ирина учёба», а также текст о Едином государственном экзамене (ЕГЭ) в России. Коротко напишите, как система сдачи выпускных и вступительных экзаменов изменилась с 2009 года.

И́рина учёба

Учи́лась я в шко́ле оди́ннадцать лет. Учи́лась хорошо́ и все выпускны́е экза́мены сдала́ на отли́чно. По́сле оконча́ния шко́лы я реши́ла поступа́ть в вуз на юриди́ческий факульте́т. Ко́нкурс в ву́зе был о́чень большо́й, 10 челове́к на ме́сто. Так как я сдала́ вступи́тельные экза́мены хорошо́, а са́мый сло́жный экза́мен, по исто́рии Росси́и, сдала́ на отли́чно, меня́ при́няли!!!

Еди́ный госуда́рственный экза́мен

Еди́ный госуда́рственный экза́мен (ЕГЭ) – централизо́ванно проводи́мый в Росси́йской Федера́ции экза́мен, кото́рый слу́жит одновре́менно выпускны́м экза́меном в шко́ле и вступи́тельным экза́меном в ву́зы и ссу́зы[8]. По́сле сда́чи экза́мена всем уча́стникам выдаю́тся свиде́тельства о результа́тах ЕГЭ, где ука́заны полу́ченные ба́ллы по предме́там. С 2009 го́да ЕГЭ явля́ется еди́нственной фо́рмой выпускны́х экза́менов в шко́ле и основно́й фо́рмой вступи́тельных экза́менов в ву́зы. ЕГЭ прово́дится по ру́сскому языку́, матема́тике, иностра́нным языка́м, фи́зике, хи́мии, биоло́гии, геогра́фии, литерату́ре, исто́рии, обществозна́нию, информа́тике.

12-8 | Сочинение. Напишите связный текст (15–20 предложений) о своей учёбе по плану, приведённому ниже. Используйте слова и выражения из 12-3.

1. Вы ходи́ли в де́тский сад?
2. Где вы научи́лись чита́ть и писа́ть?
3. Когда́ вы пошли́ в шко́лу?
4. Куда́ вы поступи́ли по́сле оконча́ния шко́лы?
5. Что на́до бы́ло де́лать, что́бы поступи́ть?
6. Каку́ю специа́льность вы вы́брали? Что повлия́ло на ваш вы́бор?
7. Каки́е предме́ты вы изуча́ете?
8. Каки́е экза́мены вам на́до сдать в э́том семе́стре / в э́той че́тверти?
9. Вы рабо́таете? Где?
10. Каки́е у вас пла́ны? Что вы собира́етесь де́лать по́сле оконча́ния университе́та?

[8] Ссуз – сре́днее специа́льное уче́бное заведе́ние.

12-9 | Прочитайте о Санкт-Петербургском государственном университете. Составьте план в форме вопросов.

Санкт-Петербу́ргский госуда́рственный университе́т (СПбГУ) – оди́н из старе́йших ву́зов Росси́и. За го́ды своего́ существова́ния СПбГУ закрепи́л за собо́й пра́во называ́ться одни́м из лу́чших ву́зов Росси́и.

На сего́дняшний день в Санкт-Петербу́ргском университе́те у́чатся бо́лее 32 ты́сяч студе́нтов, рабо́тают почти́ 14 ты́сяч сотру́дников, о́коло 6000 преподава́телей, среди́ них 42 акаде́мика госуда́рственных акаде́мий. В университе́те есть всё для учёбы, нау́ки и увлече́ний: богате́йшая Нау́чная библиоте́ка им. М. Го́рького, нау́чно-иссле́довательские институ́ты, музе́и, изда́тельство университе́та, университе́тский хор студе́нтов, выпускнико́в и преподава́телей, спорти́вные клу́бы и мно́гое друго́е.

Нау́чные откры́тия и достиже́ния профессоро́в и выпускнико́в университе́та, семь из кото́рых – лауреа́ты Но́белевской пре́мии, вошли́ в исто́рию мирово́й и оте́чественной нау́ки и те́хники. Из стен университе́та та́кже вы́шло мно́жество мировы́х знамени́тостей в разли́чных областя́х: изве́стные учёные, педаго́ги, госуда́рственные и обще́ственные де́ятели, наприме́р, П.А. Столы́пин, Д.И. Менделе́ев, В.И. Верна́дский, Д.С. Лихачёв и деся́тки други́х. Университе́т подари́л ми́ру изве́стнейших де́ятелей иску́сства, среди́ них И.С. Турге́нев, П.А. Брюлло́в, А.А. Блок, М.А. Вру́бель, Л.Н. Андре́ев, И.Ф. Страви́нский и мно́гие други́е.

В ноябре́ 2009 го́да Президе́нт РФ[9] Дми́трий Медве́дев подписа́л зако́н, кото́рый присво́ил университе́там МГУ[10] и СПбГУ осо́бый ста́тус «уника́льных нау́чно-образова́тельных ко́мплексов, старе́йших ву́зов страны́, име́ющих огро́мное значе́ние для разви́тия росси́йского о́бщества».

[9] РФ – Росси́йская Федера́ция.

[10] МГУ – Моско́вский госуда́рственный университе́т.

12-10 | Изложение. Перечитайте текст в 12-9. По плану, который вы составили, напишите изложение «Санкт-Петербургский государственный университет».

12-11 | Найдите в Интернете и запишите:

1. Кто сейча́с явля́ется ре́ктором Санкт-Петербу́ргского госуда́рственного университе́та?
2. Каки́е факульте́ты есть в Санкт-Петербу́ргском госуда́рственном университе́те?
3. Ско́лько сто́ит обуче́ние на экономи́ческом факульте́те СПбГУ?
4. Каки́е докуме́нты необходи́мы при поступле́нии на экономи́ческий факульте́т Санкт-Петербу́ргского госуда́рственного университе́та?
5. Где живу́т студе́нты СПбГУ?
6. Каки́е музе́и есть в СПбГУ?
7. Каки́е спорти́вные клу́бы есть в СПбГУ?

12-12 | Доклад. Напишите доклад об одном из российских университетов. Сначала составьте план вашего доклада в форме вопросов. Подумайте, о чём вы будете писать во введении, в основной части и в заключении.

ПРАВОПИСАНИЕ

Написание НЕ с глаголами

НЕ с глаголами пишется раздельно, например: *не брать*, *не буду*, *не сдал*. Исключение: *ненавидеть*.

Написание НЕ и НИ с отрицательными местоимениями и наречиями

1. В отрицательных местоимениях (*не́кто*, *не́что*, *никто́*, *ничто́*) и наречиях (*не́где*, *не́куда*, *не́откуда*, *не́когда*, *нигде́*, *никуда́*, *нио́тку́да*, *никогда́* и др.) пишется

а) под ударением – НЕ-, например: *не́кого просить, не́куда идти*;
б) без ударения – НИ-, например: *никого́ не прошу, никуда́ не пойду*.

2. НЕ и НИ пишутся слитно в отрицательных местоимениях и наречиях. Но если в отрицательных местоимениях есть предлог, то НЕ и НИ пишутся раздельно. Например: *никого́ – ни у кого́, не́чем – не́ с чем*.

12-13 | Правописание НЕ с глаголами. Перепишите предложения по образцу.

Образец: *Я поступила в университет. –*

Я не поступила в университет.

1. Ира поступила на юридический факультет.
2. Конкурс в институт был большой.
3. Ира сдала вступительные экзамены.
4. Я могу сказать, какой предмет мне нравится.
5. За время учёбы Ира вышла замуж.
6. После окончания вуза Ира работала в суде.
7. В настоящий момент Ира проходит стажировку.

12-14 | НЕ или НИ? Подчеркните правильный ответ.

1. Я (некогда/никогда) не сдам этот экзамен!
2. Мне сегодня (некогда/никогда)!
3. Маша (негде/нигде) не работает.
4. Мне (негде/нигде) жить!
5. Я (некого/никого) здесь не знаю!
6. Мы (некуда/никуда) не поедем на капикулы в этом году.
7. Я не хочу (некуда/никуда) идти!
8. Она заболела и (нечего/ничего) не ест.
9. Всё, мне больше (нечего/ничего) тебе сказать!

12-15 | Слитно или раздельно? Подчеркните правильный ответ.

1. Мне (некуда / не куда) идти.
2. Я (никуда / ни куда) не пойду, мне надо заниматься!
3. Мне (нечего / не чего) делать сегодня.
4. Мне (нескем / не с кем) поговорить!
5. Мне сегодня (никуда / ни куда) не надо идти.
6. Он (ничем / нечем) не интересуется.
7. Игорь (нискем / ни с кем) не дружит.
8. Всё хорошо, вам (не за чем / незачем) волноваться!

ПУНКТУАЦИЯ

Запятая при сложных подчинительных союзах

Если придаточное предложение соединено с главным при помощи сложного союза (*благодаря тому что*, *из-за того что*, *вместо того чтобы*, *для того чтобы*, *в то время как*, *после того как*, *перед тем как*, *с тех пор как* и др.), то запятая ставится один раз: перед союзом, если придаточное предложение следует за главным, и после всего придаточного предложения, если оно предшествует главному, например: *Надо много заниматься, для того чтобы сдать вступительные экзамены в МГУ*. *Для того чтобы сдать вступительные экзамены в МГУ, надо много заниматься*.

12-16 | Расставьте запятые.

1. Благодаря тому что я хорошо сдала экзамены я училась бесплатно.
2. После того как я окончила школу я поступила в университет.
3. Я не сдала экзамен по истории из-за того что не подготовилась.
4. Вместо того чтобы заниматься и готовиться к экзаменам Коля уехал отдыхать на юг.
5. Я учился в то время как другие студенты ходили по дискотекам и ночным клубам.
6. Перед тем как поступить на медицинский факультет я два года работала в городской больнице.
7. С тех пор как я окончила университет прошло 10 лет.

12-17 | Расставьте недостающие запятые.

Мы готовим будущих лидеров!

Сегодняшнему выпускнику школы непросто сделать выбор будущего вуза. Для того чтобы помочь вам сделать выбор мы встретились с директором ИБМТ Анатолием Ивановичем КОВАЛЁВЫМ.

Анатолий Иванович, что может предложить Институт бизнеса и менеджмента технологий сегодняшнему абитуриенту?

С тех пор как я стал директором института мы ведём подготовку специалистов по современным специальностям: «Бизнес-администрирование», «Логистика», «Управление информационными ресурсами».

Не секрет, что сегодня нужны не просто хорошие бухгалтеры, экономисты, а именно те специалисты, которые благодаря тому что обладают высоким уровнем профессиональных знаний способны принимать управленческие решения, оценивать перспективы и рассчитывать риски. После того как вы окончите наш институт вы сможете стать востребованным специалистом в области экономики и логистики, а также в информационной сфере. На момент выпуска обычно 90-95 % наших студентов уже работают по специальности или знают точно место своей будущей работы!

13

ГЛАВА

Работа

В этой главе:
1. Форум о первой работе.
2. Объявления о работе, образец резюме.
3. Рассказ М. Веллера «Тест».
4. Правописание. Написание наречий.
5. Пунктуация. Запятая при союзе И в сложном предложении.

13-1 | Форум: «Какой была ваша первая работа?». Прочитайте сообщения, подчеркните средства связи между частями текста. Разбейте каждый текст на абзацы, если это возможно.

Форум > работа > первая работа

Лёня Не́жин Сообще́ние 1

Пе́рвую рабо́ту я получи́л лет в 14, реклами́ровал разли́чную проду́кцию в магази́нах, ну вро́де: «Не хоти́те ли попро́бовать хлеб произво́дства компа́нии “Весёлый Пе́карь”?». Пото́м был строи́тельный магази́н, отде́л кра́сок и отде́лочных материа́лов. Там бы́ло ве́село, так как рабо́тал с друзья́ми. Ведь да́же са́мые плохи́е дни в хоро́шем коллекти́ве прохо́дят бы́стро и не ску́чно! Сейча́с рабо́таю в оте́ле, в конфере́нц-це́нтре, ме́неджером. Сейча́с с рабо́той сло́жно, по́этому в оте́ль попа́л по счастли́вой случа́йности. Рабо́та непостоя́нная, но ра́дует то, что она́ есть. Со зна́нием четырёх языко́в ничего́ лу́чше я себе́ найти́ не смог. Почасова́я опла́та, коне́чно, неплоха́я, но на да́нный моме́нт хвата́ет то́лько на запра́вку маши́ны, опла́ту счето́в, ну и так, по мелоча́м... Нельзя́ сказа́ть, что рабо́та мне не нра́вится, одна́ко не хожу́ туда́ с ра́достью... Не моё э́то...

Вади́м Семёнов Сообще́ние 2

Заду́мался о том, как всё начина́лось. И разуме́ется, вспо́мнил свою́ пе́рвую рабо́ту… Э́то бы́ло где́-то 13 лет наза́д. Рабо́тал с 9 утра́ до 9 ве́чера. Ездил по го́роду и доставля́л лю́дям их зака́зы. Получа́л копе́йки. Де́нег бы́ло ма́ло, но на свой гра́фик я тогда́ не жа́ловался. Про́сто знал, что ну́жно мно́го рабо́тать и что нужны́ де́ньги. Был худо́й как спи́чка, при э́том мо́лод и по́лон эне́ргии. Сейча́с у меня́ своя́ фи́рма. Я сижу́ в своём кабине́те, секрета́рь мне прино́сит ко́фе, и я реша́ю миллио́н пробле́м. Уста́л ка́ждому челове́ку говори́ть, что и как де́лать, исправля́ть чужи́е оши́бки. Где самостоя́тельность и профессионали́зм? Сло́вом, тако́е впечатле́ние, что лю́ди про́сто хо́дят на рабо́ту протира́ть штаны́, причём хотя́т получа́ть за э́то высо́кую зарпла́ту.

А́нна Петро́ва Сообще́ние 3

Я четы́ре го́да рабо́тала диджее́м, но в результа́те фина́нсовых пробле́м нет возмо́жности э́тим бо́льше занима́ться. Э́то, пожа́луй, еди́нственная рабо́та, кото́рая мне нра́вилась и приноси́ла огро́мное удово́льствие. Впро́чем, не ве́шаю нос и стремлю́сь к чему́-то лу́чшему. Стара́юсь найти́ и́менно то, что ра́довало бы и приноси́ло постоя́нный дохо́д. Пока́ безрезульта́тно...

Макси́м Фёдоров Сообще́ние 4

В студе́нческие го́ды, на пе́рвом ку́рсе, устро́ился разноси́ть рекла́му. На́до бы́ло разноси́ть листо́вки по почто́вым я́щикам. Разноси́л два дня. Пото́м по́нял, что никто́ не проверя́ет. Брал я два огро́мных паке́та, и э́ти два паке́та выки́дывались в ближа́йший му́сорный конте́йнер. При э́том я был топ-курье́ром компа́нии и ни за что́ получа́л больши́е де́ньги. Но одна́жды я про́сто не пришёл, потому́ что почу́вствовал, что вот-во́т мне наста́нет коне́ц…

13-2 | Прочитайте форум о первой работе ещё раз (13-1). Отметьте, что упоминает каждый участник форума в своих сообщениях.

	Лёня Не́жин	Вади́м Семёнов	А́нна Петро́ва	Макси́м Фёдоров
Кем рабо́тал/рабо́тала				
Де́ньги				
Интере́с к работе				
Удово́льствие, получа́емое от рабо́ты				
Почему́ ушёл/ушла́ с рабо́ты				
Кем рабо́тает сейча́с?				
Друго́е				

13-3 | Просмотрите ваши ответы в 13-2 и суммируйте, что именно каждый участник форума пишет о следующем:

1. Кем работал/работала.
2. Деньги и работа.
3. Интерес к работе и удовольствие от неё.
4. Почему ушёл/ушла с работы.
5. Кем работает сейчас.

13-4 | Напишите сочинение о своей работе. Используйте различные средства связи. Данные ниже вопросы помогут вам.

1. Когда́ вы получи́ли пе́рвую рабо́ту?
2. Кем вы рабо́тали и что де́лали на рабо́те?
3. Что для вас бы́ло бо́лее ва́жным: де́ньги и́ли удово́льствие от рабо́ты?
4. Вы ушли́ с рабо́ты и́ли вас уво́лили? Объясни́те почему́.
5. Кем вы рабо́таете сейча́с?
6. Что вы де́лаете на рабо́те?
7. Како́й у вас гра́фик рабо́ты?
8. Рабо́та постоя́нная и́ли вре́менная?
9. Кака́я у вас зарпла́та? Или вы получа́ете почасову́ю опла́ту?
10. Что вам нра́вится и что не нра́вится в ва́шей рабо́те?

13-5 | Ищу работу! Прочитайте объявления о работе. Проанализируйте, как они написаны, какая информация в них дана.

Объявле́ние № 1 Отве́тственная, поря́дочная де́вушка 24-х лет и́щет рабо́ту ня́ни. Образова́ние вы́сшее, педаго́г-психо́лог. О́пыт рабо́ты есть, но небольшо́й. Телефо́н: 8-905-397-4601.

Объявле́ние № 2 Предлага́ю услу́ги репети́тора по а́лгебре 5–9 кла́ссов. Па́рень 27 лет, образова́ние вы́сшее техни́ческое, о́пыт рабо́ты с детьми́ име́ется, без вре́дных привы́чек, до́брый, отве́тственный, поря́дочный. Тел.: 607-93-17.

Объявле́ние № 3 Ищу́ рабо́ту психо́лога и́ли преподава́теля психоло́гии. Име́ю вы́сшее образова́ние (ВолГУ, око́нчила в 2009 г. по специа́льности «психо́лог, преподава́тель психоло́гии»). Зна́ние оргте́хники (програ́ммы Microsoft Word, PowerPoint) и владе́ние англи́йским языко́м (ба́зовый у́ровень). Мне 25 лет. Коммуника́бельная, энерги́чная, целеустремлённая, отве́тственная, исполни́тельная, име́ю серьёзный подхо́д к де́лу, без вре́дных привы́чек. Тел.: 329-80-50, lisa@mail.ru.

13-6 | Вы ищете работу. Напишите объявление в газету или на веб-сайт, что вам нужна работа:

1) переводчика;
2) репетитора;
3) преподавателя иностранного языка.

13-7 | Прочитайте и проанализируйте резюме Гутко Светланы Фёдоровны.

Гутко́ Светла́на Фёдоровна

Адрес: Новосиби́рск, ул. Чумако́ва, д. 35, кв. 90
Телефо́н: 76-65-32
E-mail: sveta@mail.ru
Да́та рожде́ния: 15.12.1974
Семе́йное положе́ние: за́мужем

Цель: получи́ть до́лжность секретаря́-рефере́нта в кру́пной компа́нии
На́выки и о́пыт:
– владе́ние иностра́нными языка́ми: англи́йский – свобо́дно, неме́цкий – хорошо́;
– набо́р те́кстов – 250 зна́ков/мин., на́вык набо́ра вслепу́ю;
– веде́ние документа́ции на рус. и англ. яз. (контра́кты, пи́сьма, догово́ры, счета́, тамо́женные докуме́нты);
– уча́стие в перегово́рах с клие́нтами и партнёрами;
– веде́ние делово́й перепи́ски;
– Windows, Word, Excel, Internet Explorer, PowerPoint, оргте́хника.

Образова́ние: вы́сшее

1991–1996 Новосиби́рский педагоги́ческий университе́т. Преподава́тель иностра́нного языка́.

Опыт рабо́ты

2004 – н.в.[11] Представи́тельство компа́нии «Фили́пп Карде́нса» в Санкт-Петербу́рге. Секрета́рь-рефере́нт.

1999–2004 Компа́ния «ГТБ». Секрета́рь генера́льного дире́ктора.

1996–1999 Компа́ния «ФОГ». Секрета́рь замести́теля генера́льного дире́ктора.

Персона́льная информа́ция

Аккура́тна, пункту́альна, неконфли́ктна. Име́ю води́тельские права́. Име́ю загранпа́спорт.

Рекоменда́ции

Аку́нин С.Ю., замести́тель дире́ктора, представи́тельство компа́нии «Фили́пп Карде́нса» в Санкт-Петербу́рге.

13-8 | Вы хотите найти работу по специальности. Составьте своё резюме, используя резюме Гутко Светланы Фёдоровны в 13-7 как образец.

13-9 | Слушайте и читайте рассказ М. Веллера «Тест» и напишите изложение пропущенных частей. Расставьте ударения в словах.

Михаи́л Ве́ллер
Тест

Когда Генке исполнилось семь лет, мама повела его на тест на профнаклонность[12].

____

____

[11] Н.в. – настоя́щее вре́мя.

[12] Тест на профнакло́нность – э́то тест на выявле́ние спосо́бностей челове́ка, кото́рые важны́ для определённой профе́ссии.

– Садись, орёл! – сказал доктор. Он повернул зелёный рычажок. Машина тихонько загудела и выбросила карточку.

– Резчик по камню. У тебя огромнейшая способность. Раньше был этот мальчишечка... Шарапанюк... сто восемьдесят. А у тебя – сто девяносто два, а? Талант...

– Чудесно, сынок, – сказала мама, когда Генка вышел из кабинета. – Пойдём с тобой сейчас в художественную школу.

– Я пойду в мореходку, – ответил Генка непримиримо и заплакал.

Директор мореходки, взяв его профкарточку, с некоторым недоумением посмотрел на Генку, потом на маму.

– Ему надо в художественную...

Мама помялась и развела руками:

– Он хочет... Мечтал... Ему жить.

– Что ж, – сказал директор. – Мы возьмём тебя, конечно, но тебе придётся трудно, друг мой. Очень трудно.

Через неделю Генка понял, что такое профнаправленность.

Дворец был вписан в набережную, как драгоценность в оправу. Линии его были естественны и чисты. Экскурсовод произносил привычный текст: «...уникальный орнамент... международная премия... потомки...»

____

____

____

____

____

____

Корабль уходил в море ночью. Капитан стоял на мостике.
– Я лучший капитан пароходства, – сказал капитан и закурил.

ПРАВОПИСАНИЕ

Написание наречий

Гласные на конце наречий

На конце наречий, которые образованы от прилагательных, в большинстве случаев пишется **-О**, например: *плохой – плох**о**, весёлый – весел**о**, противный – противн**о***.

Наречия, которые пишутся через дефис

Пишутся через дефис наречия:

1) с приставкой ПО- и оканчивающиеся на ***-ому***, ***-ему***, ***-ски***, например: *работать **по**-нов**ому**, пусть будет **по**-ваш**ему**, советовать **по**-друже**ски**, говорить **по**-француз**ски***;
2) с приставкой В-(ВО-), образованные от порядковых числительных, например: ***во**-первых*, ***в**-четвёртых*, ***в**-седьмых* и т. п.[13];
3) с частицами ***-то***, ***-либо***, ***-нибудь***, ***кое-***, ***-таки***, например: *когда**-то**, откуда**-либо**, как**-нибудь**, **кое-**где, всё**-таки***.

[13] И т. п. – и тому́ подо́бное.

Степень сравнения наречий

Пишите **-ЕЕ** в сравнительных формах наречий, например: *интереснее, весело – веселее, активно – активнее.*

Слышим	Пишем
[интиресний]	*интереснее*
[активний]	*активнее*

ЗАПОМНИТЕ!

Запомните написание следующих наречий:

вправо – влево
справа – слева
налево – направо
сбоку – сзади
вверх – вниз
вверху – внизу
сегодня – вчера
лучше – хуже
например
сначала
наконец
навсегда
наоборот
снова
сейчас

13-10 | Написание наречий. Вставьте пропущенные буквы или дефис, где надо.

1) типичн_
2) симпатичн_
3) симпатичне_
4) налев_
5) красив_е
6) во_первых
7) лу_ше
8) красив_
9) се_одня
10) вч_ра
11) по_русски
12) хуж_
13) лучш_
14) куда_то
15) когда_нибудь
16) сначал_
17) активн_е
18) нак_нец

19) се_час
20) по_новому
21) вправ_
22) в_верх
23) в_низ
24) с_боку
25) в_низу
26) по_моему

ПУНКТУАЦИЯ

Запятая при союзе И в сложном предложении
Если союз **И** соединяет простые предложения в одно сложное, то перед ним обычно ставится запятая. Например: ***Я** сижу в своём кабинете, и **секретарь** мне приносит кофе.*
Не забудьте, что при перечислении в простом предложении запятая перед И не ставится. Например: ***Я** не вешаю нос и стремлюсь к лучшему.*

13-11 | Запятая при союзе И в простом и сложном предложении. Прочитайте и расставьте запятые.

1. Я око́нчила шко́лу и роди́тели подари́ли мне но́вый компью́тер.
2. Мне не нра́вилась э́та рабо́та и я её бро́сил.
3. Са́ша и Ира то́лько око́нчили университе́т и у них нет о́пыта рабо́ты.
4. В фи́рмы «Адвока́т» и «Юри́ст» не принима́ют с о́пытом рабо́ты ме́ньше двух лет.
5. На рабо́те я брал два огро́мных паке́та листо́вок и э́ти два паке́та выбра́сывались в му́сорный конте́йнер.
6. Сего́дня на рабо́те у нас не́ было обе́денного переры́ва и сейча́с я гото́в съесть слона́.
7. Сейча́с рабо́таю в оте́ле ме́неджером и рабо́та мне нра́вится.
8. Сейча́с с рабо́той сло́жно и получи́ть высокоопла́чиваемую рабо́ту практи́чески невозмо́жно.
9. Рабо́та у меня́ интере́сная и я ра́да, что её получи́ла.

Иностранные языки

В этой главе:
1. Статья «Зачем учить иностранные языки?».
2. Реклама курсов обучения иностранным языкам.
3. Объяснительная записка.
4. Правописание. Написание предлогов.
5. Пунктуация:
   - запятая в бессоюзном сложном предложении;
   - двоеточие в простом и сложном предложении.

14-1 | Прочитайте статью «Зачем учить иностранный язык?». Найдите информационный центр каждого абзаца. Напишите вопрос к каждому абзацу.

Заче́м учи́ть иностра́нный язы́к?

I. Давно́ прошли́ времена́, когда́ кого́-то мо́жно бы́ло удиви́ть отли́чным зна́нием иностра́нного языка́. Тепе́рь э́то не по́вод для го́рдости, тепе́рь э́то жи́зненная необходи́мость. С откры́тием грани́ц мы получи́ли возмо́жность путеше́ствовать и познава́ть но́вое, соверше́нствовать свои́ зна́ния.

II. Зна́ние иностра́нного языка́ мо́жет значи́тельным о́бразом повлия́ть на разви́тие карье́ры: возмо́жны командиро́вки за грани́цу, перегово́ры с зарубе́жными партнёрами, междунаро́дные прое́кты. А э́то означа́ет, что специали́ст, кото́рый владе́ет иностра́нным языко́м, бу́дет бо́лее востре́бован.

III. Напра́вить на обуче́ние за грани́цу мо́жно то́лько специали́ста, кото́рый в доста́точной ме́ре владе́ет иностра́нным языко́м, что́бы получи́ть но́вые зна́ния и на́выки. При э́том бо́льшую це́нность име́ют специали́сты, кото́рые владе́ют не одни́м, а сра́зу не́сколькими языка́ми. Наибо́лее уда́чным сочета́нием сейча́с счита́ется комбина́ция англи́йский + япо́нский + неме́цкий и́ли же неме́цкий + по́льский + япо́нский.

IV. При э́том на да́нный моме́нт сло́жно сказа́ть, како́й иностра́нный язы́к явля́ется наибо́лее востре́бованным. Одна́ко пе́рвенство сохраня́ет англи́йский язы́к – язы́к мирово́го би́знеса. Второ́е ме́сто занима́ет неме́цкий. А вот на тре́тье ме́сто вы́шел япо́нский язы́к – всё бо́льше и бо́льше люде́й хотя́т изучи́ть его́, а компа́нии запра́шивают специали́стов, владе́ющих э́тим языко́м.

Изда́ние «Рабо́та + Карье́ра»

14-2 | Перечитайте текст в 14-1 и выпишите из каждого абзаца один довод в пользу изучения иностранного языка. Например, довод из первого абзаца:

Знание иностранного языка необходимо, чтобы путешествовать, расширять свои знания.

14-3 | Объедините доводы, которые вы выписали из статьи «Зачем учить иностранный язык?», в связный текст, соединив их при помощи необходимых средств связи.

Средства связи элементов текста

Последовательность информации	во-пе́рвых, во-вторы́х, снача́ла, пото́м, одновре́менно, в то же вре́мя, в дальне́йшем, да́лее
Присоединение информации	та́кже, то́же, кро́ме того́, при э́том, ещё, кста́ти, бо́лее того́
Противопоставление и сопоставление информации	но, одна́ко, напро́тив, в отли́чие от
Пояснение и уточнение информации	то́ есть, ины́ми слова́ми, точне́е говоря́, причём, осо́бенно, ведь
Уверенность/ неуверенность	коне́чно, разуме́ется, наве́рное, возмо́жно, мо́жет, мо́жет быть, ка́жется, пра́вда
Вывод	сло́вом, вообще́

14-4 | Прочитайте рекламу курсов иностранных языков. Определите, какая информация в каждом абзаце является главной, а какая дополнительной.

Заче́м учи́ть иностра́нный язы́к?
Есть мно́го причи́н, кото́рые заставля́ют люде́й изуча́ть иностра́нные языки́. Часть из них – практи́ческие, други́е но́сят интеллектуа́льный хара́ктер, тре́тьи мо́гут показа́ться сентимента́льными.

Эмигра́ция
Прие́хав в но́вую для вас страну́ и зна́я её язы́к, вы, безусло́вно, быстре́е интегри́руетесь. Да́же е́сли ме́стное населе́ние и зна́ст ваш родно́й язы́к, всё равно́ ну́жно учи́ть иностра́нный. Таки́м о́бразом вы продемонстри́руете свой интере́с к но́вой стране́ и её жи́телям.

Нау́ка
Зна́я иностра́нный язы́к, вы мо́жете почерпну́ть поле́зную информа́цию об интересу́ющем вас предме́те на друго́м языке́. Вы бу́дете вы́годно отлича́ться от свои́х колле́г, име́я до́ступ к бо́лее обши́рным зна́ниям.

Возвраще́ние к исто́кам
Если в ва́шей семье́ говори́ли на иностра́нном языке́ в про́шлом, вам бу́дет интере́сно вы́учить э́тот язы́к. Тогда́ вы смо́жете дета́льно изучи́ть свою́ генеало́гию, обраща́ясь к докуме́нтам, напи́санным на э́том иностра́нном языке́. И вы смо́жете научи́ть э́тому языку́ свои́х дете́й!

Культу́ра
Вы лю́бите литерату́ру, худо́жественные фи́льмы, телевизио́нные програ́ммы, му́зыку, принадлежа́щие к культу́ре определённой страны́, – разуме́ется, вы захоти́те изучи́ть язы́к э́той страны́, что́бы ещё лу́чше понима́ть её культу́ру.

14-5 | Перечитайте рекламу в 14-4 и отметьте, какие из доводов, по вашему мнению, носят практический, а какие – интеллектуальный и сентиментальный характер.

14-6 | Выпишите из рекламы в 14-4 три довода в пользу изучения иностранных языков, которые вам кажутся наиболее убедительными. Объясните, почему вы считаете эти доводы самыми важными. Используйте необходимые средства связи из 14-3, а также следующие выражения: *я считаю, что; по моему мнению.*

14-7 | Прочитайте текст один раз и напишите изложение. Используйте слова и выражения, близкие к оригиналу, сохраните структуру излагаемого текста.

Заче́м вам изуча́ть неме́цкий язы́к?

Возмо́жно, ва́ши деловы́е партнёры, друзья́ и́ли ро́дственники говоря́т на неме́цком. Тогда́ зна́ние э́того языка́ упрости́т ва́ше обще́ние. Вы лу́чше бу́дете понима́ть их сами́х и о́браз их мышле́ния.

А мо́жет, вам просто нра́вится неме́цкий язы́к? Нра́вится его́ звуча́ние, нра́вятся стихи́ Ге́нриха Ге́йне, расска́зы То́маса Ма́нна, о́пера Бетхо́вена «Фиде́лио» и́ли просты́е неме́цкие наро́дные пе́сни? Вы́учите неме́цкий, и вы смо́жете наслажда́ться ре́чью, чте́нием и́ли исполня́емой пе́сней.

Зна́ю! Вы фана́т неме́цкой ку́хни и бава́рского пи́ва?! Вы ча́сто е́здите в Герма́нию? Вы покупа́ете пова́ренные кни́ги, кото́рые издаю́тся то́лько на э́том иностра́нном языке́? Бро́сьте себе́ вы́зов! Испыта́йте свой хара́ктер! Вы́учите неме́цкий язы́к!

14-8 | Напишите своё мнение, почему необходимо изучать иностранные языки. Используйте средства связи из 14-3.

ПРАВОПИСАНИЕ

Правописание предлогов

Запомните правописание следующих предлогов:

без (друга)
в**о**круг (дома)
д**о** (школы)
о (маме)
о**б** (этом)
ок**о**л**о** (дома)
п**о** (телефону)
по**д** (столом)
посл**е** (занятий)
пр**о** (увлечения)
чере**з** (2 часа)

Предлоги, которые пишутся через дефис
Пишутся через дефис сложные предлоги: ИЗ-ЗА, ИЗ-ПОД.
Например: *Я достала коробку **из-под** стола. **Из-за** дождя мы не поехали в горы на выходные.*

Слитное и раздельное написание предлогов
1. Пишутся слитно предлоги ***вместо***, ***вроде***, ***насчёт***, например: ***вместо** меня*, *что-то **вроде** биографии*, *поговорить **насчёт** расписания.*
2. Пишутся раздельно предлоги ***в связи с***, ***в течение*** (употребляются при обозначении времени и имеет на конце ***Е***), например: ***в связи с** работой*, ***в течение** двух часов.*

14-9 | Правописание предлогов. Впишите нужный по смыслу предлог.

1. Сейчас не проживёшь __________ знания иностранного языка.
2. Я не могу жить __________ мобильного телефона.
3. Мы доехали __________ университета за два часа.
4. Они живут __________ университета.
5. Давай встретимся __________ два часа?
6. Куда ты пойдёшь __________ занятий?
7. Расскажи мне __________ своей семье.
8. Давай поговорим позже __________ телефону, а то у меня сейчас нет времени.
9. Перестань ходить __________ меня.
10. Он мне долго рассказывал __________ то, как важно знать иностранные языки.

14-10 | Правописание предлогов. Слитно, раздельно или через дефис? Напишите правильно.

1) (изза) __________ дождя

2) (втечение) __________ этого времени

3) (всвязи) __________ с болезнью

4) (изпод) __________ кровати

5) (изза) __________ незнания немецкого

6) поговорить (насчёт) __________ работы

7) (вместо) __________ сестры

8) что-то (вроде) __________ свитера

14-11 | Правописание предлогов. Объяснительная записка. Прочитайте и выберите правильные по смыслу предлоги.

Дире́ктору ку́рсов иностра́нных языко́в
Лиси́цыну И.А.
(из / от) слу́шателя ку́рсов англи́йского языка́
Васи́льева П.П.

Объясни́тельная запи́ска

Я, слу́шатель ку́рсов англи́йского языка́ Васи́льев П.П., задержа́л опла́ту (за / для) пе́рвый семе́стр 2011 года́ (в связи́ с / в тече́ние) вре́менной поте́рей рабо́ты. Прошу́ разреши́ть внести́ мне опла́ту (в связи с / в тече́ние) сле́дующих двух неде́ль.

01.01.2011 П.П. Васи́льев

14-12 | Правописание предлогов. По образцу в 14-11 напишите объяснительную записку вашему преподавателю. Объясните, почему вы пропустили контрольную работу, и попросите разрешения написать её на следующей неделе.

ПУНКТУАЦИЯ

Запятая в бессоюзном сложном предложении

Запятая ставится между частями бессоюзного сложного предложения, если эти части тесно связаны между собой по смыслу, например: *Знание иностранного языка упростит ваше общение, вы лучше будете понимать людей и образ их мышления.*

Двоеточие в простом и сложном предложении

1. **Двоеточие** ставится между частями бессоюзного сложного предложения, если вторая часть предложения разъясняет, раскрывает содержание первой части или указывает причину того, о чём говорится в первой части. Для проверки между обеими частями можно вставить следующие слова: *а именно*; *что*; *потому что*; *так как*; *и увидел, что*; *и услышал, что* и т. п. Например: *Я знаю точно: надо изучать иностранные языки. Он не хотел изучать японский язык: сложно.*
2. В простом предложении **двоеточие** ставится перед перечислением, часто при наличии обобщающего слова или словосочетания. Например: *Я знаю некоторые иностранные языки: французский, немецкий, китайский и японский. На наших курсах вы можете выучить: 1) китайский язык, 2) японский язык, 3) немецкий язык.*

Грамматическая справка

Бессоюзное сложное предложение – это сложное предложение, в котором равноправные простые предложения объединены в одно целое по смыслу и интонационно, без помощи союзов или союзных слов.

14-13 | Запятая и двоеточие в бессоюзном сложном предложении. Расставьте знаки препинания.

1. Я пошла́ на ку́рсы иностра́нных языко́в мне понра́вилось но англи́йский язы́к так и не вы́учила.

2. Сейча́с все молоды́е лю́ди изуча́ют иностра́нные языки́ рабо́та в междунаро́дных компа́ниях стано́вится реа́льностью для них.

3. С рабо́той бы́ло сло́жно её про́сто не́ было никто́ не нанима́л.

4. Ищу́ рабо́ту перево́дчика с англи́йского 25 лет коммуника́бельная энерги́чная легко́ обуча́емая.

5. Ищу́ рабо́ту преподава́теля неме́цкого вы́сшее образова́ние рабо́ту в шко́ле не предлага́ть.

6. Запиши́тесь на ку́рсы иностра́нных языко́в тогда́ весь мир бу́дет у ва́ших ног всего́ через ме́сяц!

7. Пе́рвое ме́сто занима́ет англи́йский второ́е ме́сто – неме́цкий.

8. Зна́ние иностра́нного языка́ мо́жет значи́тельным о́бразом повлия́ть на разви́тие карье́ры стано́вятся возмо́жными командиро́вки за грани́цу перегово́ры с зарубе́жными партнёрами междунаро́дные прое́кты.

9. В университе́те я учи́ла францу́зский И́ра – испа́нский.

10. Тепе́рь зна́ние иностра́нных языко́в – э́то не по́вод для го́рдости тепе́рь э́то жи́зненная необходи́мость.

11. Она́ всё-таки поняла́ сло́жно получи́ть хоро́шую рабо́ту без зна́ния иностра́нного языка́.

12. Миссионе́ры и про́чие религио́зные де́ятели изуча́ют иностра́нные языки́ им необходи́мо пропове́довать свои́ уче́ния во всём ми́ре.

Как писать письма

В этой главе:

1. Структура письма и языковые клише.
2. Оформление конвертов.
3. Письмо в редакцию журнала.
4. Правописание. Написание частиц.
5. Пунктуация. Запятая при частице ЛИ.

15-1 | Прочитайте письма. Скажите, какие из них являются официальными, а какие – неофициальными. Чем они отличаются? Какие отношения существуют между корреспондентами?

Письмó № 1

Привéт!

Прости́, что давнó тебé не писáла. Как ты себя́ чу́вствуешь? Как у тебя́ делá? У нас всё нормáльно. Пáпа всё врéмя рабóтает и прихóдит домóй óчень пóздно. Мы с мáмой егó практи́чески не ви́дим, тóлько по воскресéньям. Я сдалá все экзáмены в университéте, так что мóжешь себé предстáвить, как я былá занятá. Но тепéрь я абсолю́тно свобóдна и счáстлива! Собирáемся с мáмой поéхать на мóре, в Сóчи, а потóм к тебé в дерéвню! В Сóчи мы бу́дем всегó недéлю, а к тебé приéдем на цéлый мéсяц. Мáма ужé взялá óтпуск и купи́ла билéты. Так что жди, приéдем к тебé 26 ию́ля! Что тебé привезти́? Напиши́ обязáтельно! Передавáй привéт дéдушке и тёте Гáле!

Целу́ю!
Твоя́ Нáстя

Письмо́ № 2

Уважа́емый Илья́ Никола́евич!

Спешу́ сообщи́ть, что вчера́ я отпра́вил Вам по по́чте кни́ги, кото́рые Вы проси́ли. Ду́маю, что Вы полу́чите их через 3–4 дня. Е́сли Вам необходи́мы ещё каки́е-нибудь материа́лы по преподава́нию ру́сского языка́ как иностра́нного, пожа́луйста, сообщи́те, и мы обяза́тельно вы́шлем их в кратча́йший срок.

С уваже́нием,

Никола́й Аста́хов

P.S.*Валенти́на Петро́вна передаёт Вам большо́й приве́т.*

Письмо́ № 3

Приве́т, Ле́нка!

Как твои́ дела́? Почему́ не пи́шешь? Что у тебя́ но́вого? У меня́ всё по-ста́рому, учу́сь, рабо́таю, сплю, учу́сь, рабо́таю, сплю... Нет вре́мени да́же отдохну́ть норма́льно! Не по́мню, когда́ после́дний раз ходи́ла в кино́ и́ли на дискоте́ку. Жизнь прохо́дит! Так хо́чется всё бро́сить и уе́хать на мо́ре, в Крым, и́ли, коне́чно, лу́чше на Кана́рские острова́ и́ли Гава́йи! Хорошо́ мечта́ть, ведь наде́жда умира́ет после́дней... Ну ладно, пишу́ не для того́, что́бы жа́ловаться, а что́бы пригласи́ть тебя́ на свой день рожде́ния в сле́дующую суббо́ту. Реши́ла отмеча́ть до́ма, так как де́нег на рестора́ны, как ты понима́ешь, нет. Приходи́! Посиди́м, вспо́мним на́ши шко́льные го́ды! Ва́ля и Ко́лька то́же приду́т.

Твоя́ Све́тка

Письмо́ № 4

Уважа́емая Еле́на Андре́евна!

Хочу́ Вам сообщи́ть, что я не сдал курсову́ю рабо́ту сего́дня, так как у меня́ слома́лся при́нтер и я не смог её распеча́тать. Разреши́те мне, пожа́луйста, сдать мою́ рабо́ту за́втра на заня́тии. Наде́юсь на Ва́ше понима́ние.

С уваже́нием,
Оста́п Бе́ндер

15-2 | Структура письма и языковые клише. Прочитайте, какие выражения обычно употребляются в письмах.

Официальное письмо	Неофициальное письмо
1. Приветствие и обращение	
Уважаемая госпожа Иванова!, Уважаемый Михаил Петрович!, Уважаемый господин директор!, Уважаемые господа!	Дорогой дедушка! / Дорогая мама!, Милый Костя! / Милая Света!, Привет, подруга!
2. Основная часть письма	
Сообщаем/сообщаю, что..., Приглашаем/приглашаю..., Просим/прошу..., Высылаем/высылаю...	Прости, что давно не писал(а), Как дела?, Как живёшь?, Как жизнь?, Что нового?, Как здоровье?, Как ты себя чувствуешь? *Возможные ответы:* У меня всё хорошо, Всё по-старому, Дела идут хорошо/плохо, Со здоровьем всё в порядке, Со здоровьем плохо

3. Завершение письма	
С уважением, ... Искренне Ваш(а), ...	Всего хорошего, Любящая тебя, Всегда твой, Счастливо!, Жду ответа, Всего, Пока, Обнимаю и целую, Привет всем, Будь здоров(а)

15-3 | Ответ. Перечитайте письмо № 3 в 15-1. Напишите ответ на это письмо от имени Лены, используя структуру и выражения для неофициальных писем в 15-2.

15-4 | Неофициальное письмо. Прочитайте письмо № 2 в 15-1 ещё раз. Представьте, что Илья Николаевич и Николай Астахов – старые друзья (учились в одной школе), а затем перепишите письмо Николая Астахова Илье Николаевичу. Используйте структуру и выражения для неофициальных писем в 15-2.

15-5 | Письмо преподавателю. Напишите письмо вашему преподавателю о том, почему вы не смогли прийти на занятие по русскому языку. Спросите, когда вы можете написать контрольную работу, которую писали все студенты на занятии, которое вы пропустили (объём – 100–150 слов). Используйте структуру и выражения для официальных писем в 15-2.

15-6 | Как оформлять конверт. Посмотрите на образец оформления почтового конверта. Обратите внимание, что фамилия отправителя пишется в родительном падеже (от кого?), а фамилия адресата – в дательном падеже (кому?).

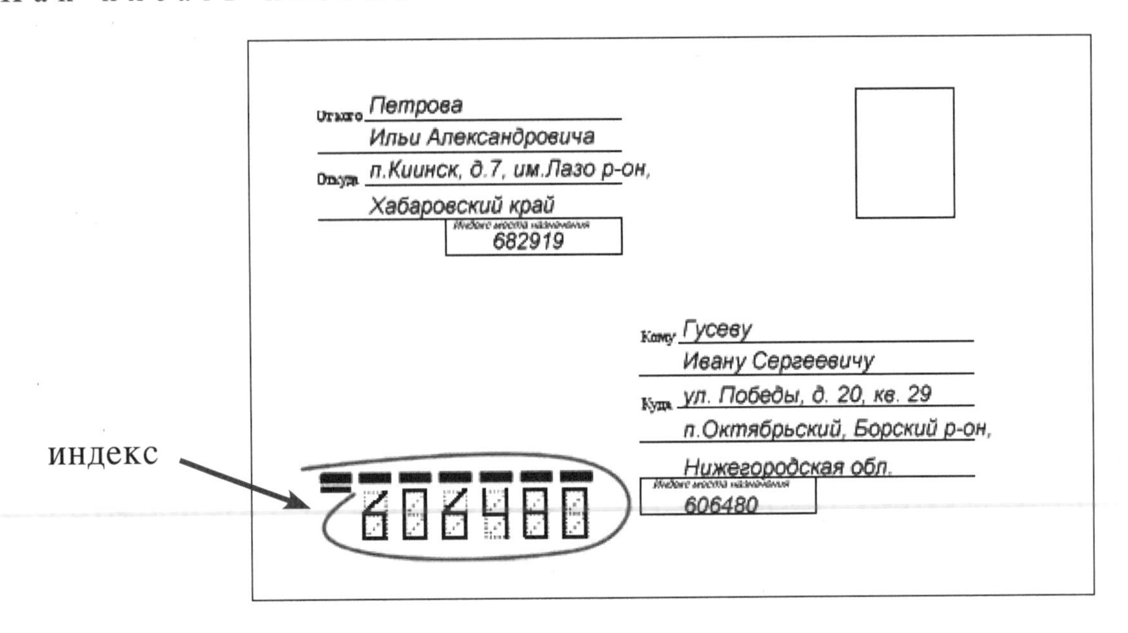

Петрова
Ильи Александровича
п.Киинск, д.7, им.Лазо р-он,
Хабаровский край
682919
Гусеву
Ивану Сергеевичу
ул. Победы, д. 20, кв. 29
п.Октябрьский, Борский р-он,
Нижегородская обл.
606480
индекс
606480

15-7 | Надпишите конверт. Вы живёте в Москве. Ваш адрес в России: 109125, г. Москва, ул. Саратовская, д. 121, кв. 35. Вы хотите отправить письмо знакомому, который живёт по адресу: 124681, г. Зеленоград, ул. Вишнёвая, д. 45, кв. 3.

От кого ______________________

Откуда ______________________

Индекс места отправления

А
ПОЧТА РОССИИ
РОССИЯ RUSSIA · 2011

70 лет
МЕЖДУНАРОДНЫЙ АЭРОПОРТ ВНУКОВО
1941 – 2011

Кому ______________________

Куда ______________________

Индекс места назначения

ПОЧТА РОССИИ

15-8 | Письмо в редакцию. Прочитайте письма в редакцию молодёжного журнала «Кира». Напишите ответ на одно из писем читателей.

Письмо́ 1

Дорога́я реда́кция!
Я хоте́ла бы попроси́ть у вас сове́т. У моего́ па́рня есть своя́ со́бственная рок-гру́ппа. Но на репети́циях он выгоня́ет всех девчо́нок из сту́дии и оставля́ет одни́х парне́й, объясня́я э́то тем, что нам не́чего де́лать при тво́рческом проце́ссе. Но, я кляну́сь, мне то́же о́чень нра́вится му́зыка, кото́рую они́ игра́ют, и я живу́ те́ми пе́снями, кото́рые они́ пою́т. Но спо́рить с мои́м па́рнем бесполе́зно. Э́то норма́льно?

Жду отве́та.
Ни́на Кура́това

Письмо́ 2

Дорога́я реда́кция!
Заче́м посто́янно де́лать де́вушкам комплиме́нты и дари́ть цветы́? Я заме́тил, что девчо́нки не о́чень лю́бят, когда́ начина́ешь с ни́ми любе́зничать. Смуща́ются сра́зу как-то... Я, наприме́р, да́же пра́здник Восьмо́е ма́рта не признаю́. Сейча́с вообще́ век фемини́зма, девчо́нки наравне́ с парня́ми ката́ются на сноубо́рде, ро́ликах, скейте, занима́ются мужски́ми ви́дами спо́рта. Про́ще ну́жно быть... Заче́м усложня́ть жизнь?

С уваже́нием,
Вита́лик

Письмо́ 3

Дорога́я реда́кция!
Встреча́ться и́ли нет? Вот в чём вопро́с. Я люблю́ одного́ па́рня, его́ зову́т Ко́ля. Я зна́ю то́чно, что нра́влюсь ему́. Но есть пробле́ма. Ещё в про́шлом году́ я сказа́ла ему́, что он нра́вится мне. Но он до сих пор мне ничего́ не отве́тил. Мои́ подру́ги познако́мили меня́ ещё с одни́м па́рнем – Гри́шей, он мне предложи́л дру́жбу, я согласи́лась встреча́ться с ним. И всё-таки я сомнева́юсь. Де́ло в том, что мы с Гри́шей поцелова́лись, по́сле чего́ я чу́вствовала себя́ про́сто ужа́сно. Я ду́маю, что поступи́ла непра́вильно, подружи́вшись с ним, ведь мне мо́жет предложи́ть дру́жбу Ко́ля – па́рень, кото́рого я люблю́. Так встреча́ться мне с Гри́шей и́ли нет? Пожа́луйста, отве́тьте!

С уваже́нием,
То́ня Золотарёва

15-9 | Изложение. Прочитайте письма Васильева Василия Ивановича с фронта. Кратко изложите основное содержание писем.

Пи́сьма с фро́нта

Мы с ма́мой давно́ собира́ли пи́сьма моего́ де́душки с фро́нта. Сде́лали небольшу́ю кни́жку. Поража́ет то, как он писа́л э́ти ве́щи, пережи́в все у́жасы войны́. Вот не́сколько из них, кото́рые он писа́л мое́й ба́бушке Кла́ве.

Кра́ткие биографи́ческие све́дения

Васи́льев Васи́лий Ива́нович роди́лся 11 января́ 1920 го́да в г. Москве́. В 1937 г. око́нчил с отли́чием сре́днюю шко́лу № 231 г. Москвы́. В ию́не 1941 г. получи́л дипло́м с отли́чием об оконча́нии фи́зико-математи́ческого факульте́та Моско́вского городско́го педагоги́ческого институ́та и получи́л направле́ние на рабо́ту в шко́лу преподава́телем матема́тики. В октябре́ 1941 г. доброво́льцем ушёл в а́рмию. В а́вгусте 1945 г. демобилизо́ван. Награждён многочи́сленными ордена́ми и меда́лями.

Здра́вствуй, Кла́ва!

Сего́дня я получи́л от тебя́ письмо́. Я, призна́ться, и не ждал так ско́ро получа́ть по́чту. Ну уж ничего́ не поде́лаешь, получи́л – так чита́й. Прочёл – так отвеча́й. Шучу́! Шучу́! Всё, что ты пи́шешь об экза́менах, так знако́мо мне. Э́то бы́ло так неда́вно, и ты права́, когда́ пи́шешь, что всё э́то и мне до́рого. Как хоте́лось бы мне то́же окопа́ться, обложи́ться со всех сторо́н кни́гами и перели́стывать одну́ за друго́й, ища́ что́-либо ну́жное. Зна́ешь, когда́ я получа́ю газе́ты, куда́ я смотрю́? На после́днюю страни́цу – что идёт в кино́ и теа́трах, и предаю́сь воспомина́ниям о Москве́. Ты гово́ришь непра́вду о фо́то. Ведь ты хоте́ла мне подари́ть ещё в Москве́. Почему́ же ты не мо́жешь сде́лать э́то сейча́с? Я присла́ть сни́мок не могу́ – он сде́лан в одно́м экземпля́ре для красноарме́йской кни́жки. И прито́м я там стри́женый и не в свое́й гимнастёрке. Сейча́с я дежу́рю, пишу́ отве́т и перечи́тываю Викто́ра Гюго́ «Собо́р Пари́жской Богома́тери». Това́рищи игра́ют в подкидно́го [дурака́]. Всего́ хоро́шего, Ва́ся. 06.03.42. п. п. 218, 93

Здра́вствуй, Кла́ва!

Поздравля́ю с пра́здником 8 Ма́рта! Ви́димо, пока́ я устро́ился непло́хо. Са́мое гла́вное – э́то чу́вство свобо́ды. Э́то я позна́ю на

своём о́пыте. Здесь я име́ю возмо́жность и писа́ть пи́сьма, и чита́ть худо́жественную литерату́ру. Пра́вда, её не так мно́го. Мо́жет быть, наста́нет вре́мя и для матема́тики. Всё мо́жет быть! Почему́-то мне ча́сто прихо́дят на па́мять стро́чки: «Жди меня́, и я верну́сь, то́лько о́чень жди...» Всего́ лу́чшего, Ва́ся.
27.02.42. Действ. армия. п. п. 218, 93

15-10 | Прочитайте стихотворение Константина Симонова «Жди меня». Кратко напишите основное содержание этого стихотворения.

Жди меня́, и я верну́сь.
То́лько о́чень жди,
Жди, когда́ наво́дят грусть
Жёлтые дожди́,
Жди, когда́ снега́ мету́т,
Жди, когда́ жара́,
Жди, когда́ други́х не ждут,
Позабы́в вчера́.
Жди, когда́ из да́льних мест
Пи́сем не придёт,
Жди, когда́ уж надое́ст
Всем, кто вме́сте ждёт.

Жди меня́, и я верну́сь,
Не жела́й добра́
Всем, кто зна́ет наизу́сть,
Что забы́ть пора́.
Пусть пове́рят сын и мать
В то, что нет меня́,
Пусть друзья́ уста́нут ждать,
Ся́дут у огня́,
Вы́пьют го́рькое вино́
На поми́н души́...
Жди. И с ни́ми заодно́
Вы́пить не спеши́.

Жди меня́, и я верну́сь,
Всем смертя́м назло́.
Кто не ждал меня́, тот пусть
Ска́жет: – Повезло́.
Не поня́ть не жда́вшим им,
Как среди́ огня́
Ожида́нием свои́м
Ты спасла́ меня́.
Как я вы́жил, бу́дем знать
То́лько мы с тобо́й, –
Про́сто ты уме́ла ждать,
Как никто́ друго́й.

1941

ПРАВОПИСАНИЕ

Написание частиц

Раздельное написание частиц

Частицы ***бы***, ***же***, ***ли*** пишутся с другими словами раздельно. Например: *Я **бы** хотела выучить немецкий язык. Я не могу это перевести, я **же** плохо знаю китайский! Легко **ли** выучить японский?*

Дефисное написание частиц

1) Частицы ***-то***, ***-либо***, ***-нибудь***, ***кое-*** пишутся через дефис, например: кто-***то***, что-***либо***, чей-***нибудь***, ***кое***-какой.
2) Частица ***-таки*** пишется через дефис только после наречий, частиц и глаголов, например: верно-***таки***, прямо-***таки***, всё-***таки***, неужели-***таки***, ушёл-***таки***. В остальных случаях ***таки*** пишется без дефиса, например: *Корейский язык **таки** трудный!*

15-11 | Правописание частиц. Раздельно или через дефис? Выберите, что правильно.

1. Если вам необходимы ещё (какие нибудь / какие-нибудь) документы, пожалуйста, сообщите.
2. (Если бы / если-бы) вы к нам приехали, мы были бы очень рады!
3. (Зачем же / Зачем-же) ты это делаешь?
4. Вчера тебе (кто то / кто-то) звонил.
5. У меня есть (кое какая / кое-какая) идея на этот счёт.
6. Когда я увидела его, я (чуть ли / чуть-ли) не влюбилась с первого взгляда, такой он был красивый!
7. Вы хотите (что нибудь / что-нибудь) выпить?

8. Дайте мне (чей нибудь / чей-нибудь) телефон.

9. (Почему же / Почему-же) вы мне не позвонили?

10. Вы (могли бы / могли-бы) это сделать для меня?

11. (Хочешь ли / Хочешь-ли) ты пойти со мной в кино?

12. Я не знаю, (есть ли / есть-ли) у нас эта книга дома.

13. И (всё таки / всё-таки) я верю тебе!

ПУНКТУАЦИЯ

Запятая при частице ЛИ
В сложном предложении перед словом с частицей ЛИ ставится запятая. Например: *Я не знаю, написала **ли** она письмо маме*. Обратите внимание, что союз ЕСЛИ в подобных предложениях не употребляется: ~~*Я не знаю, если она написала письмо маме*~~.

15-12 | Пунктуация при частице ЛИ. Впишите ЛИ или ЕСЛИ. Поставьте, где надо, запятые.

1. Никто не знает придёт _____ она на занятие сегодня.

2. _____ она придёт то мы сможем с ней поговорить.

3. Кто-то спросил его отправил _____ он письмо бабушке.

4. Мы встретимся с ними завтра _____ они будут не заняты.

5. _____ вы будете свободны то позвоните нам и приходите в гости.

6. Не знаю захочет _____ она пойти в кино завтра.

7. Я не знаю получу _______ я письмо от него сегодня или завтра.

Город

В этой главе:

1. Статья «Владимир» из «Википедии».
2. Блоги о городах.
3. Текст «Москва».
4. Правописание. Написание приставок.
5. Пунктуация:
   - отсутствие запятой после обстоятельства места и времени;
   - уточняющие члены предложения.

16-1 | Прочитайте отрывок из статьи о городе Владимире.

Влади́мир

Влади́мир – го́род в Росси́и, администрати́вный центр Влади́мирской о́бласти. По ле́тописи, осно́ван в 990 году́. Населе́ние – 340 тыс. челове́к (2009). Располо́жен на ле́вом берегу́ реки́ Кля́зьмы в 180 км к се́веро-восто́ку от Москвы́. Кру́пный тра́нспортный у́зел на автомоби́льной и железнодоро́жной (Москва́ — Ни́жний Но́вгород) магистра́лях. Го́род вхо́дит в Золото́е кольцо́ Росси́и, явля́ется при́знанным туристи́ческим це́нтром и изве́стен па́мятниками архитекту́ры.

16-2 | Прочитайте текст «Владимир» в 16-1 ещё раз. Напишите ответы на вопросы.

1. Где нахóдится Владúмир?

____

2. Каковó населéние гóрода?

____

3. Где гóрод расположен?

____

4. Какáя желéзная дорóга прохóдит через Владúмир?

____

5. Какúми пáмятниками гóрод извéстен?

____

16-3 | Найдите в Интернете дополнительную информацию о г. Владимире и выпишите 2–3 интересных факта.

16-4 | Прочитайте отрывки из блогов о городах. Напишите по пять вопросов к каждому тексту.

Львов

Здрáвствуйте, друзья́!
Я недáвно побывáл во Львóве и, увúдев цéрковь св. Андрéя, решúл посвятúть ей э́ту статью́... Но сначáла немнóжко óбщей информáции о самóм гóроде и егó архитектýре.

Львов – небольшо́й го́род, располо́женный на за́паде Украи́ны. Львов занима́ет пе́рвое ме́сто в Украи́не по коли́честву исто́рико-архитекту́рных па́мятников. В архитекту́ре Льво́ва отражены́ мно́гие европе́йские сти́ли и направле́ния, соотве́тствующие разли́чным истори́ческим эпо́хам. Наве́рное, вам уже́ ста́ло я́сно, что красоту́ го́рода невозмо́жно описа́ть слова́ми...

Тверь

Тверь – э́то го́род, располо́женный в центра́льной ча́сти Росси́и ме́жду двумя́ крупне́йшими города́ми страны́, Москво́й и Санкт-Петербу́ргом. Был осно́ван в XII ве́ке. Его́ вы́годное расположе́ние на Во́лге позво́лило ему́ разви́ться в ва́жный торго́вый центр и сопе́рничать с Москво́й. Сейча́с Тверь явля́ется притяга́тельным го́родом для торго́вых, деловы́х, культу́рных свя́зей и тури́зма. Веду́щими отрасля́ми городско́й промы́шленности явля́ются машинострои́тельная, пищева́я, тексти́льная и хими́ческая о́трасли, электроэнерге́тика. В Твери́ рабо́тает бо́лее деся́тка комме́рческих ба́нков и их филиа́лов, а та́кже бо́лее 10 страховы́х фирм. Ва́жно отме́тить, что в го́роде есть

3 профессиона́льных теа́тра, Тверска́я академи́ческая филармо́ния, 5 музе́ев, 3 библиоте́ки. В Твери́ нахо́дятся Госуда́рственный университе́т, Госуда́рственный техни́ческий университе́т, Госуда́рственная сельскохозя́йственная акаде́мия, Госуда́рственная медици́нская акаде́мия и други́е учёбные заведе́ния.

16-5 | Перепишите текст о городе Жуковском, расставив предложения в логическом порядке. Если необходимо, добавьте средства связи.

Жуко́вский

Почти каждый, кто слышал об этом городе, знает его как город науки, город самолётов. В своей статье я опишу один очень красивый город – Жуко́вский. Если вы читаете эти строки, это уже хорошо, а теперь, пожалуйста, наберитесь терпения и прочтите всю статью целиком. И это понятно, ведь недаром этот город называют авиаградом или наукоградом. Привет, друзья! Я же хочу, чтобы вы увидели Жуко́вский глазами обычного жителя.

16-6 | Напишите по плану пост для блога о городе, где находится ваш университет или живёт ваша семья.

План

1. ...Ма́ленький/большо́й го́род, кото́рый нахо́дится в/на...
2. Его́ населе́ние...
3. Го́род осно́ван в...
4. Он располо́жен...
5. В го́роде есть...
6. Го́род изве́стен (*чем?*)...

16-7 | Изложение. Прослушайте рассказ о поездке в Москву и закончите предложения.

1. *Многие россияне никогда не...*
2. *Автор блога приехала в Москву...*
3. *Она была в Москве...*
4. *Погода...*
5. *Она решила погулять по...*
6. *Она пошла на...*
7. *Её удивило, что...*
8. *Ей понравилось, что...*

16-8 | Изложение. Прочитайте текст о Москве три раза и напишите изложение. Используйте слова и выражения, близкие к оригиналу, сохраните структуру излагаемого текста.

Москва́

Москва́ – столи́ца Росси́йской Федера́ции и центр Моско́вской о́бласти – располо́жена в европе́йской ча́сти страны́ на реке́

Москве́. Населе́ние в 10 000 000 жи́телей прожива́ет на террито́рии о́коло 1000 км^2.

Пе́рвое летопи́сное упомина́ние о Москве́ как о поселе́нии отно́сится к 1147 г., от кото́рого ведётся летоисчисле́ние исто́рии го́рода. Основа́телем Москвы́ официа́льно при́знан су́здальский князь Ю́рий Долгору́кий. В тече́ние всей своéй исто́рии го́род неоднокра́тно завоёвывался, сжига́лся и вновь возрожда́лся. Исключи́тельно благоприя́тное положе́ние Москвы́ обусло́вило её преиму́щество в разви́тии среди́ други́х городо́в зарожда́ющейся Росси́и.

В настоя́щее вре́мя Москва́ – важне́йший полити́ческий торго́во-фина́нсовый центр страны́, здесь размеща́ются правле́ния мно́гих ба́нков (в т. ч.[14] Центра́льного ба́нка Росси́и), кру́пных росси́йских фирм, представи́тельства иностра́нных компа́ний и др.

Москва́ – крупне́йший тра́нспортный у́зел Росси́и. Оди́ннадцать ж.-д.[15] ли́ний свя́зывают столи́цу со всéми райо́нами страны́, зарубе́жными госуда́рствами. В Москве́ три кру́пных речны́х по́рта. Москва́ – кру́пный центр автомоби́льных перево́зок. В Москве́ нахо́дится три аэропо́рта: Шереме́тьево, Домоде́дово, Вну́ково.

Сего́дня Москва́ явля́ется крупне́йшим экономи́ческим, полити́ческим, нау́чным це́нтром Росси́и. На террито́рии го́рода де́йствует мно́жество кру́пных предприя́тий разли́чных отрасле́й промы́шленности: чёрной и цветно́й металлурги́и, машинострое́ния и металлообрабо́тки, строи́тельных материа́лов, лёгкой и пищево́й промы́шленности и др.[16] В Москве́ располо́жены крупне́йшие автомоби́льные, авиацио́нные и машинострои́тельные заво́ды, предприя́тия тексти́льной и пищево́й индустри́и, городско́го строи́тельства.

Москва́ явля́ется культу́рным и нау́чным це́нтром мирово́го значе́ния. В столи́це нахо́дится Росси́йская акаде́мия нау́к (РАН) и 90 её нау́чных учрежде́ний, включа́я 78 нау́чно-иссле́довательских институ́тов, а та́кже специализи́рованные акаде́мии нау́к. Москва́ – са́мый кру́пный уче́бный центр страны́. Среди́ 85 ву́зов го́рода – 31 университе́т и 19 акаде́мий, в том числе́ таки́е изве́стные, как Моско́вский госуда́рственный университе́т им. М.В. Ломоно́сова, Росси́йский университе́т дру́жбы наро́дов,

[14] В т.ч. – в том числе́.

[15] ж.-д. – железнодоро́жный.

[16] И др. – и други́е.

Москóвский госудáрственный техни́ческий университéт им. Н.Э. Бáумана и ряд други́х. Основнóй фóрмой образовáния по-прéжнему остаётся госудáрственное образовáние. В большинствé общеобразовáтельных школ, профессионáльно-техни́ческих заведéний, срéдних специáльных и вы́сших учéбных заведéний обучéние бесплáтное. В послéднее врéмя в Москвé получáет распространéние плáтное обучéние.

Москвá на протяжéнии сóтен лет являéтся цéнтром рýсской национáльной культýры. Здесь сосредотóчены ценнéйшие пáмятники истóрии и архитектýры мировóго значéния: Кремль, Новодéвичий монасты́рь, Филёвская цéрковь, Москóвский госудáрственный университéт, Триумфáльная áрка и др. В Москвé нахóдятся крупнéйшие кни́жные издáтельства Росси́и, редáкции центрáльных газéт и журнáлов, сáмая крýпная в странé сеть библиотéк, 74 музéя. Всеми́рную извéстность получи́ли москóвские теáтры – Большóй, Мáлый, Худóжественный. Коллéкции жи́вописи, грáфики, скульптýры Третьякóвской галерéи, Музéя изобрази́тельных искýсств и́мени А.С. Пýшкина мóгут поспóрить с собрáниями мнóгих извéстных музéев ми́ра.

ПРАВОПИСАНИЕ

НАПИСАНИЕ ПРИСТАВОК

Запомните правописание следующих приставок: В- (ВО-), ДО-, ЗА-, НА-, НАД- (НАДО-), О-, ОБ-(ОБО-), ОТ- (ОТО-), ПЕРЕ- , ПО-, ПОД- (ПОДО-), ПРЕД- (ПРЕДО-), ПРО-, РАЗО-, С- (СО-). Например: *войти*, *доехать*, *объехать*, *отойти*.

Приставка ПРИ-
Пишите приставку ПРИ- со словами, которые имеют следующие значения:

Приставка	Значение	Примеры
ПРИ-	1) достигнуть какого-либо места	**при**ехать, **при**нести
	2) присоединение	**при**делать, **при**бивать
	3) совершение действия не в полном объёме	**при**открыть (окно), **при**встать

Приставки ПРЕ-, ПЕРЕ-, ПРЕД-
Пишите приставки **ПРЕ-**, **ПЕРЕ-**, **ПРЕД-** со словами, которые имеют следующие значения:

Приставка	Значение	Примеры
ПРЕ-	интенсивность действия, признака	**пре**увеличивать, **пре**уменьшать, **пре**интересный
ПЕРЕ-	1) перемещение	**пере**плыть (реку), **пере**ехать (в Москву)
	2) повторное действие	**пере**читать (книгу 2 раза)
	3) превышение нормы, больше, чем надо	**пере**есть
ПРЕД-	действие, совершаемое заранее	**пред**сказать (погоду)

16-9 | Диктант. Правописание приставок. Слушайте и пишите.

1. __ехать
2. __делать
3. ___йтись
4. __пустить (занятие)
5. __писать (письмо)
6. __писать
7. ___читать (книгу)
8. ___ехать (в Москву)
9. _____сказать (погоду)
10. __есть
11. __йти
12. _____упредить
13. ___йти (от стола)
14. ___нять
15. ___бросить
16. _____есть
17. ___брать
18. __ехать (за другом)
19. __йти (в дом)
20. __деть

16-10 | Приставки ПРИ-, ПРЕ-, ПЕРЕ-, ПРЕД-. Впишите ПРИ- или ПРЕ-, ПЕРЕ-, ПРЕД-, объясните ваши решения.

1. ___сесть (на стул)
2. ___пить
3. ___нести (книгу)
4. ___лететь (в Москву)
5. _____ехать (жить в Киев)
6. ___писать (текст 3 раза)
7. ___бить (табличку на дверь)
8. ___увеличивать (ситуацию)
9. ___везти (подарок)
10. ___шить (пуговицу)
11. ___открыть (дверь)
12. ___стать (к человеку)
13. ___соединиться (к компании)
14. ______видеть (будущее)

ПУНКТУАЦИЯ

Отсутствие запятой после обстоятельства места и времени
В русском языке не выделяются на письме обстоятельства места и времени. Например, не ставится запятая после *днём, в четверг, в 1998 году, в России* в предложениях: ***Днём** мы ходили на экскурсию по городу. **В четверг** мы поедем в Томск. **В 1998** году мы переехали в Тверь. **В России** мы были всего две недели.*

Уточняющие члены предложения
Выделяются запятыми только уточняющие обстоятельства места и времени. Например: *Именно здесь, **на Тверской**, всегда много людей. Сейчас, **ранней весной**, очень красиво в Киеве.*

Грамматическая справка

Обстоятельства места отвечают на вопросы *где? куда? откуда?* и обозначают место действия или направление движения. Например: *в центре, в центр, из центра, вверху, вверх, сверху.*

Обстоятельства времени отвечают на вопросы *когда? с каких пор? до каких пор? как долго?* и обозначают время и продолжительность. Например: *вчера, когда-то, давно, целую неделю, всю зиму, недолго* и т. п.

16-11 | Расставьте, где надо, запятые.

1. Тверь – это город который расположен в центральной части России между двумя городами Москвой и Санкт-Петербургом. 2. Я живу в Москве в центре. 3. Вчера мы были в Большом театре. 4. Во второй половине XV века Москва стала столицей единого Российского государства. 5. Мы прилетели в Иркутск рано в 5 утра. 6. Так как экскурсия по Москве длилась долго 6 часов мы очень устали. 7. Куда по-вашему лучше поехать зимой в январе или феврале? 8. Он улетел в Россию в Тверь.

Как доехать и где остановиться

В этой главе:

1. Проезд по городу.
2. Описание гостиницы.
3. Правописание. Написание глаголов движения.
4. Пунктуация. Употребление кавычек.

17-1 | Прочитайте сообщения, оставленные на автоответчике. Выпишите глаголы, которые используются при объяснении того, как куда-то доехать.

Сообще́ние 1
Тебя́ опя́ть нет до́ма! Приезжа́й сего́дня ве́чером, е́сли смо́жешь. Я сняла́ ко́мнату на пло́щади Маяко́вского, в са́мом це́нтре. Как вы́йдешь из метро́, поверни́ нале́во. Мой дом второ́й от метро́. Пя́тый эта́ж, кварти́ра 24. Позвони́, пе́ред тем как вы́йдешь из до́ма, я тебе́ ещё раз объясню́.

Сообще́ние 2
Кири́лл Петро́вич, оставля́ю инстру́кции, как дое́хать до шко́лы. Лу́чше всего́ сади́тесь на пе́рвый тролле́йбус, сойди́те на Пу́шкинской пло́щади, пройди́те вперёд по хо́ду тролле́йбуса и поверни́те напра́во в пе́рвый переу́лок. Пройди́те мину́т пять, и вы уви́дите сле́ва зда́ние шко́лы. Жду Вас за́втра в 11 утра́. Позвони́те, е́сли не смо́жете найти́ и́ли бу́дете опа́здывать.

Сообще́ние 3
На́дя, е́сли бу́дешь е́хать на маши́не от це́нтра, поезжа́й по Ле́нинскому проспе́кту, прое́дешь торго́вый центр «Москва́», и приме́рно через киломе́тр бу́дет мой дом. Въезжа́й под а́рку во двор и ищи́ ме́сто для парко́вки. Днём обы́чно места́ есть. Позвони́ сни́зу, я тебе́ откро́ю.

17-2 | Напишите имейл другу, как проехать или пройти от университета (или другого места) до вашего дома. Используйте инструкции в 17-1 как образец.

17-3 | Прочитайте инструкцию, как доехать до гостиницы «Петро Палас Отель» в Санкт-Петербурге от аэропорта «Пулково-2». Разбейте текст на абзацы. Напишите вопрос к каждому абзацу.

Что́бы добра́ться до гости́ницы «Пе́тро Пала́с Оте́ль» от аэровокза́ла Пу́лково-2, вам необходи́мо снача́ла дое́хать до ста́нции метро́ «Моско́вская». Вы мо́жете дое́хать до ста́нции метро́ «Моско́вская» на городско́м авто́бусе № 13, остано́вка кото́рого нахо́дится напро́тив центра́льного термина́ла аэровокза́ла. Авто́бус курси́рует ме́жду аэровокза́лом Пу́лково-2 и ста́нцией метро́ «Моско́вская» с интерва́лом 15–20 мину́т с 5:36 до 0:47. Вре́мя в пути́ – 15–20 мину́т. Та́кже из аэровокза́ла Пу́лково-2 до ста́нции метро́ «Моско́вская» мо́жно добра́ться на маршру́тных такси́ № 3, № 13, № 113, № 213, остано́вка кото́рых нахо́дится бли́же к термина́лу прибы́тия. Маршру́тные такси́ отправля́ются по заполне́нию, опла́та произво́дится води́телю при вхо́де. Зате́м от ста́нции метро́ «Моско́вская» необходи́мо по си́ней ве́тке дое́хать до ста́нции метро́ «Не́вский проспе́кт» и воспо́льзоваться вы́ходом на Миха́йловскую у́лицу. На Не́вском проспе́кте мо́жно сесть на авто́бус № 3, № 22, № 27 и́ли тролле́йбус № 5, № 22, иду́щие в сто́рону Невы́, и вы́йти на остано́вке «Исаа́киевская пло́щадь». На противополо́жной стороне́ от остано́вки бу́дет находи́ться «Пе́тро Пала́с Оте́ль». Приблизи́тельное вре́мя в пути́ – 1 час 15 мину́т.

17-4 | Прочитайте, как доехать до одного из выставочных залов Третьяковской галереи в Москве. Используя образец в 17-3, напишите объяснение, как доехать до этого здания. Дополнительную информацию вы можете найти в Интернете.

Зда́ние на Кры́мском Валу́
Иску́сство XX ве́ка, вре́менные вы́ставки
Адрес: Кры́мский Вал, 10
Прое́зд: метро́ «Парк культу́ры» или «Октя́брьская», тролле́йбус «Б» и́ли № 10 до остано́вки «Парк культу́ры им. Го́рького».

17-5 | Описание места. Прочитайте два описания гостиниц в городе Суздале. Выпишите информацию:

а) о ме́сте, где нахо́дится гости́ница;
б) о том, далеко́ ли от це́нтра она́ располо́жена;
в) об удо́бствах гости́ницы;
г) дополни́тельные све́дения, кото́рые де́лают гости́ницу привлека́тельной для тури́стов.

«Алексе́евская уса́дьба»

Гости́ница располо́жена на у́лице Покро́вской, на краю́ живопи́сного Ильи́нского лу́га, отку́да открыва́ется оди́н из лу́чших ви́дов на го́род Су́здаль и Су́здальский кремль. Ильи́нский луг явля́ется неотъе́млемой ча́стью дре́внего Су́здаля. Исто́рия э́того лу́га ухо́дит корня́ми в глубину́ веко́в, в те времена́, когда́ луг называ́лся Перу́нов, в честь язы́ческого бо́га гро́ма и мо́лнии Перу́на. Здесь, на лугу́, устра́ивались наро́дные пра́здники. Сейча́с здесь нахо́дится Ильи́нская це́рковь. Невдалеке́ от гости́ницы располо́жены два знамени́тых су́здальских монастыря́. Пройдя́ по у́лице Шми́дта, вы попадёте в са́мый центр го́рода, на торго́вую пло́щадь.

Гости́ница постро́ена в сти́ле су́здальских уса́деб XIX ве́ка. В диза́йне интерье́ров гости́ницы предпочте́ние о́тдано де́реву. Пло́щадь номеро́в от 20 до 30 кв. м.[17] Все номера́ снабжены́ совреме́нной систе́мой вентиля́ции, кли́мат-контро́лем, спу́тниковым телеви́дением, совреме́нной санте́хникой.

Гостевой дом «У Кремля́»

Отде́льно стоя́щий дом, принадлежа́вший когда́-то су́здальской купе́ческой семье́, на центра́льной у́лице Су́здаля. Несмотря́ на то что он нахо́дится в 200 м от Торго́вой пло́щади и вблизи́ доро́ги, в ко́мнатах ти́хо, так как дом стои́т в глубине́ двора́ и снабжён совреме́нными о́кнами со звукоизоля́цией. Дом просто́рный: 4 ую́тные спа́льни со всей необходи́мой ме́белью, гости́ная с широ́ким дива́ном, просто́рная прихо́жая, ва́нная в ка́ждой спа́льне, ку́хня с разнообра́зным набо́ром посу́ды, от стака́нов и ча́шек до шампу́ров для шашлыка́. В гости́ной телеви́зор и музыка́льный центр, есть телеви́зор и на ку́хне. Температу́ра в до́ме регули́руется по жела́нию госте́й. Ря́дом с до́мом, во дворе́, места́ для стоя́нки автомоби́лей.

---
[17] Кв. м – квадра́тный метр.

17-6 | Изложение. Прослушайте сообщение на автоответчике три раза и напишите изложение. Используйте слова и выражения, близкие к тому, что вы услышали, сохраните структуру излагаемого текста.

17-7 | Опишите для российского туристического агентства одну из гостиниц в вашем городе. Информацию вы можете найти в Интернете. Описание должно содержать следующую информацию:

1. Где нахо́дится гости́ница.
2. Преиму́щества ме́ста, где нахо́дится гости́ница.
3. Удо́бства гости́ницы.
4. Дополни́тельные све́дения, кото́рые мо́гут сде́лать гости́ницу привлека́тельной для тури́стов.
5. Как дое́хать до гости́ницы от железнодоро́жного вокза́ла и́ли аэропо́рта.

ПРАВОПИСАНИЕ

Правописание глаголов движения

1. Запомните написание некоторых глаголов движения:
   а) **пойти**: я пойду, ты пойдёшь, он/она пойдёт, мы пойдём, вы пойдёте, они пойдут; он пошёл, она пошла, они пошли;
   б) **ездить**: я езжу, ты ездишь, он/она ездит, мы ездим, вы ездите, они ездят; он ездил, она ездила, они ездили;
   в) **приезжать**: я приезжаю, ты приезжаешь, он/она приезжает, мы приезжаем, вы приезжаете, они приезжают; он приезжал;
   г) **объезжать**, **подъезжать**, **съезжать**, **въезжать**: объезжаю, подъезжаю, съезжаю, въезжаю;
   д) **бежать**: я бегу, ты бежишь, он/она бежит, мы бежим, вы бежите, они бегут; он бежал; беги/ бегите (императив).
2. Запомните формы повелительного наклонения (императива), которые обычно употребляются при объяснении, как дойти или доехать куда-то:

а) иди/идите, приходи/приходите, например: ***Идите*** *прямо, потом на перекрёстке поверните налево, справа будет мой дом.* ***Приходите*** *в 7 часов!*
б) поезжай/поезжайте, приезжай/приезжайте, например: ***Поезжайте*** *прямо, потом поверните направо, слева будет мой дом.* ***Приезжай*** *скорее!*
в) въезжай/въезжайте, подъезжай/подъезжайте, объезжай объезжайте, съезжай/съезжайте, например: ***Въезжайте*** *во двор.* ***Подъезжайте*** *прямо к дому.*

17-8 | Правописание глаголов движения. Напишите нужные формы глаголов движения.

1. _________________ (Приехать, императив) сегодня вечером, если сможешь. 2. Когда ты _________________ (выйти) из метро, поверни налево. 3. _________________ (Пройти, императив) минут пять, и вы увидите слева здание школы. 4. Надя, если ты _________________ (ехать, будущее время) на машине от центра, _________________ (поехать, императив) по Ленинскому проспекту, _________________ (проехать, будущее время) торговый центр «Москва», и примерно через километр будет мой дом.

5. _________________ (Въехать, императив) под арку во двор и ищи место для парковки. 6. _________________ (Приходить, императив) завтра утром, часов в 10 утра. 7. Куда вы _______________ (бежать)? 8. Не _________________ (бежать, императив)! Подожди меня!

17-9 | Правописание глаголов движения. Напишите связный текст (10 предложений) о том, куда вы ходите/ездите каждый день или часто.

ПУНКТУАЦИЯ

Употребление кавычек

Кавычками выделяются:

а) названия литературных произведений, картин, музыкальных произведений и т. п.[18], например: *роман* ***«Анна Каренина»***, *стихотворение* ***«Жди меня»***, *опера* ***«Борис Годунов»***.

б) названия средств массовой информации (СМИ), некоторых бирж, банков, компаний, общественных организаций, гостиниц, станций метро, некоторых театров, музыкальных групп и т. д.[19], например: *газета* ***«Русь»***, *журнал* ***«Натали»***, *телерадиокомпания* ***«Ютар»***, *издательство* ***«Новый мир»***.

Не выделяются кавычками:

а) названия, в состав которых входит слово ***имени***, например: *Концертный зал* ***имени*** *П.И. Чайковского*, но: *концертный зал «Россия»*;

б) цельные наименования, например: *Московский театр кукол*, но *Московский театр «Ромэн»;*

в) аббревиатуры и сокращённые слова, например: *Роснефть, НАТО, ООН*.

17-10 | Употребление кавычек. Расставьте кавычки, где надо.

1) Моско́вский госуда́рственный университе́т 2) расска́з А.П. Че́хова Студе́нт 3) карти́на О́сень 4) банк Таври́ческий 5) Моско́вский драмати́ческий теа́тр и́мени М.Н. Ермо́ловой 6) компа́ния Росне́фть 7) рома́н Воскресе́ние 8) остано́вка Исаа́киевская пло́щадь 9) банк Петро́вский 10) фо́ндовая би́ржа Санкт-Петербу́рг 11) бале́т Зо́лушка 12) о́пера Евге́ний Оне́гин 13) би́ржа Росси́йская торго́вая систе́ма 14) газе́та Пра́вда 15) журна́л Акаде́мия 16) гости́ница Европе́йская 17) ста́нция метро́ Не́вский проспе́кт 18) маши́на Тойо́та 19) самолёт Бо́инг-737

[18] И т. п. – и тому́ подо́бное.

[19] И т. д. – и так да́лее.

18 ГЛАВА

Русские сказки

В этой главе:
1. Сказка «Каша из топора».
2. Сказка «Иван-царевич и Серый Волк».
3. Правописание. Соединительные гласные О и Е.
4. Пунктуация:
   • знаки препинания при прямой речи;
   • знаки препинания при цитатах.

18-1 | Прочитайте сказку «Каша из топора».

Ка́ша из топора́

Шёл солда́т по доро́ге, уста́л, есть хо́чется. Дошёл до дере́вни, постуча́л в избу́:

– Пусти́те отдохну́ть доро́жного челове́ка!

Дверь отвори́ла стару́ха:

– Заходи́, солда́т.

– А нет ли у тебя́, хозя́юшка, перекуси́ть чего́?

У стару́хи всего́ вдо́воль, а солда́та накорми́ть жа́лко.

– Ох, до́брый челове́к, и сама́ сего́дня ещё ничего́ не е́ла: не́чего.

– Ну, нет так нет, – говори́т солда́т. Тут он уви́дел под ла́вкой топо́р.

– Ко́ли нет ничего́ ино́го, мо́жно свари́ть ка́шу и из топора́.

– Как так – из топора́ ка́шу свари́ть?

– А вот как, да́й-ка кастрю́лю.

Стару́ха принесла́ кастрю́лю. Солда́т вы́мыл топо́р, нали́л воды́ и поста́вил на ого́нь, доста́л ло́жку, поме́шивает. Попро́бовал.

– Ну как? – спра́шивает стару́ха.

– Ско́ро бу́дет гото́ва, – отвеча́ет солда́т, – жаль вот то́лько, что посоли́ть не́чем.

– Соль-то у меня́ есть, посоли́.

Солда́т посоли́л, сно́ва попро́бовал.

– Хороша́! Е́жели бы сюда́ да го́рсточку крупы́!

Стару́ха засуети́лась, принесла́ отку́да-то мешо́чек крупы́.

– Бери́, запра́вь как на́добно.

Запра́вил ва́рево крупо́й. Вари́л-вари́л, поме́шивал. Попро́бовал.

– Ох и хоро́ша ка́ша! – облизну́лся солда́т. – Как бы сюда́ да чуто́к ма́сла – бы́ло б и во́все объеде́нье.
Нашло́сь у стару́хи и ма́сло.

– Ну, стару́ха, тепе́рь подава́й хле́ба да принима́йся за ло́жку: ста́нем ка́шу есть!

– Вот уж не ду́мала, что из топора́ э́дакую до́брую ка́шу мо́жно свари́ть, – диви́тся стару́ха.
Пое́ли ка́шу. Стару́ха спра́шивает:

– Солда́т! Когда́ ж топо́р бу́дем есть?

– Да вишь, он недовари́лся, – отвеча́л солда́т, – где́-нибудь по доро́ге доварю́ да поза́втракаю!

Солда́т спря́тал топо́р в рюкза́к, распрости́лся с хозя́йкою и пошёл да́льше.

18-2 | Напишите полные ответы на следующие вопросы:

1. Почему́ солда́т реши́л свари́ть ка́шу из топора́? Во-пе́рвых, … Во-вторы́х, ...

2. Что солда́т попроси́л у стару́хи, когда́ он вари́л ка́шу из топора́?

3. Понра́вилась ли стару́хе ка́ша из топора́?

4. Поняла́ ли стару́ха, что солда́т её обману́л? Почему́ вы так ду́маете? Испо́льзуйте для доказа́тельства текст ска́зки.

5. Как вы ду́маете, какова́ мора́ль э́той ска́зки?

18-3 | Перепишите сказку (18-1) в косвенной речи, то есть без диалога между солдатом и старухой.

18-4 | **Напишите о героях этой сказки и вашем отношении к ним. Аргументируйте ваше мнение. Используйте известные вам средства связи, а также следующие выражения:**

Выражение точки зрения	Я считáю, что...; По моемý мнéнию...;
Аргументация точки зрения	Мóжно привестѝ такóй примéр...; Мой дóвод заключáется в том, что...; Доказáтельством э́той мы́сли мóжет служѝть тот факт, что...; Для доказáтельства своéй позѝции я хочý привестѝ слéдующие аргумéнты. Во-пéрвых... Во-вторы́х... В-трéтьих...; Что и докáзывает моþ тóчку зрéния...

18-5 | **Прочитайте начало сказки «Иван-царевич и Серый Волк» и ответьте на вопросы в тексте.**

Ивáн-царéвич и Сéрый Волк

Жил-был царь Берендéй, бы́ло у негó три сы́на, млáдшего звáли Ивáном. И был у царя́ сад великолéпный. Рослá в том садý я́блоня с золоты́ми я́блоками. Стал ктó-то в садý золоты́е я́блоки воровáть. Царь перестáл и пить, и есть, затосковáл.

1. *Что мог бы сказать отец сыновьям?* ____________________

____

Сыновья́ пошлѝ сад караýлить. Пéрвым отпрáвился стáрший сын. Скóлько ни ходѝл с вéчеру, никогó не уследѝл, лёг и уснýл. На другýю ночь пошёл срéдний сын караýлить и тóже проспáл всю ночь и никогó не видáл.

2. *Что могли бы сказать отцу старший брат и средний брат?* ____________________

____

На сле́дующую ночь пошёл Ива́н. Сиди́т он, не спит, вдруг ви́дит – на я́блоню се́ла Жар-пти́ца и клюёт золоты́е я́блоки. Ива́н-царе́вич пойма́л пти́цу за хвост, но она́ вы́рвалась и улете́ла, оста́лось у него́ в руке́ одно́ перо́ от её хвоста́. Нау́тро прихо́дит Ива́н-царе́вич к отцу́.

3. *Что мог бы сказать Иван отцу и что ответил отец?*

Де́ти отцу́ поклони́лись, оседла́ли до́брых коне́й и отпра́вились в путь-доро́гу, все в ра́зные сто́роны. Е́хал Ива́н-царе́вич, уста́л, слез с коня́ и засну́л. Просну́лся – коня́ нет. И пошёл пешко́м. Шёл-шёл, сел, пригорю́нился, сиди́т. Отку́да ни возьми́сь бежи́т к нему́ Се́рый Волк:

– Что, Ива́н-царе́вич, сиди́шь, пригорю́нился, го́лову пове́сил?

4. *Что мог бы ответить Иван?*

– Э́то я, Ива́н-царе́вич, твоего́ коня́ съел... Жа́лко мне тебя́! Расскажи́, заче́м в таку́ю даль пое́хал, куда́ путь де́ржишь?

5. *Что мог бы ответить Иван?*

– Я зна́ю, где Жар-пти́ца живёт. Так и быть – коня́ твоего́ съел, бу́ду тебе́ служи́ть ве́рой-пра́вдой. Сади́сь на меня́ да держи́сь кре́пче.

Сел Ива́н-царе́вич на него́ верхо́м, Се́рый Волк и поскака́л. Добега́ют они́ до высо́кой кре́пости. Се́рый Волк и говори́т:

– Полеза́й через сте́ну, все сторожа́ спят. Уви́дишь око́шко, на око́шке золота́я кле́тка, а в кле́тке Жар-пти́ца. Ты пти́цу возьми́, да смотри́ кле́тки не тро́гай!

6. *Что мог бы ответить Иван Волку?* ______________________

____

Ива́н через сте́ну переле́з, на око́шке стои́т золота́я кле́тка, в кле́тке сиди́т Жар-пти́ца. Он пти́цу взял, да засмотре́лся на кле́тку: «Ах кака́я – золота́я, драгоце́нная! Как таку́ю не взять!» И забы́л, что Волк ему́ говори́л. То́лько дотро́нулся до кле́тки, тру́бы затруби́ли, бараба́ны заби́ли, сторожа́ просну́лись, схвати́ли Ива́на-царе́вича и повели́ его́ к царю́ Афро́ну.

7. *Как мог бы объяснить Иван свой поступок?* ______________

____

____

18-6 | Напишите план сказки в 18-5 в форме утверждений.

18-7 | Напишите изложение сказки в 18-5 по плану, который вы составили в 18-6. Используйте слова и выражения, близкие к оригиналу, сохраните структуру излагаемого текста.

18-8 | Напишите продолжение сказки.

ПРАВОПИСАНИЕ

Соединительные гласные О и Е
В сложных словах после основы на твёрдый согласный пишется соединительная гласная **О**, после основы на мягкий согласный, на шипящий и Ц – соединительная гласная **Е**. Например: *сам + **о** + лёт*, *самовар*, *домосед*, *птицелов*.

18-9 | Соединительные гласные О и Е. Впишите пропущенные буквы.

1) вод_провод 2) жизн_описание 3) пеш_ход 4) сорок_ножка
5) верт_лёт 6) скатерть-сам_бранка 7) ковёр-сам_лёт 8) лист_пад
9) лун_ход 10) везд_ход 11) друж_любие 12) лет_пись 13) каш_вар

ПУНКТУАЦИЯ

Знаки препинания при прямой речи

Прямая речь **после** авторских слов выделяется:	Прямая речь **впереди** авторских слов выделяется:
Кавычками 1. ***Старуха спрашивает: «Солдат! Когда ж топор будем есть?»*** 2. Солдат отвечает: ***«А вот так!»*** 3. Старуха сказала: ***«Заходи, солдат».***	**Кавычками** 1. ***«Ну как?»*** – спрашивает старуха. 2. ***«Ох и хороша каша!»*** – облизнулся солдат. 3. ***«Да вишь, он недоварился»***, – отвечал солдат.
Обратите внимание	
После слов автора ставится двоеточие.	После прямой речи, после кавычек, ставится запятая и тире. Запятая не ставится, если после прямой речи стоит вопросительный или восклицательный знак, многоточие.
Тире, если прямая речь начинается с нового абзаца 1. Старуха спрашивает: ***– Солдат! Когда ж топор будем есть?*** 2. У старухи всего вдоволь, а солдата накормить жалко. ***– Ох, добрый человек, и сама сегодня ещё ничего не ела.***	**Тире, если прямая речь начинается с нового абзаца** 1. ***– Ну как?*** – спрашивает старуха. 2. ***– Ох и хороша каша!*** – облизнулся солдат. 3. ***– Да вишь, он недоварился,*** – отвечал солдат.
Обратите внимание	
После слов автора ставится двоеточие. Двоеточие не ставится после слов автора, если невозможно вставить слова *и сказал, и воскликнул, и спросил* и т. п. после авторских слов.	После прямой речи ставится запятая и тире. Запятая не ставится, если после прямой речи стоит восклицательный или вопросительный знак, а также многоточие.

Знаки препинания при прямой речи

Правило	Примеры
Цитата оформляется как прямая речь.	*Оскар Уайльд писал:* ***«При крупных неприятностях я отказываю себе во всём, кроме еды и питья».*** ***«Голод – лучшая приправа к пище»,*** *– заметил Сократ.*
С маленькой буквы пишется первое слово цитаты: 1) когда она приводится не с начала предложения и открывается многоточием; 2) когда цитата синтаксически связана с авторским текстом.	*Автор пишет:* ***«...печеньями и конфетами нельзя вырастить из детей здоровых людей».*** *Автор пишет, что* ***«печеньями и конфетами нельзя вырастить из детей здоровых людей».***

18-10 | Знаки препинания при прямой речи. Прочитайте сказку в 18-1 ещё раз и объясните знаки препинания при прямой речи.

18-11 | Знаки препинания при прямой речи. Расставьте знаки препинания, выделяя прямую речь с помощью тире.

Ска́терть-самобра́нка

На краю́ земли́, на берегу́ океа́на, све́сив но́жки, сиде́ла же́нщина.
И вот подхо́дит к ней старичо́к
Приюти́ до́чка говори́т он.
Привела́ она́ его́ в дом вме́сте с му́жем угоща́ть ста́ли. Всё что бы́ло на стол вы́ставили. Стра́нник погляде́л, языко́м поцо́кал, голово́й покача́л.
Ви́жу лю́ди вы серде́чные, но еда́ у вас ску́дная говори́т старичо́к.
Год неурожа́йный был батю́шка на́чал опра́вдываться мужи́к.

Но ничего́. У меня́ с собо́й ска́терть-самобра́нка име́ется.
Разверну́л старичо́к самобра́нку, а там яств вся́ких ви́димо-неви́димо.
Оста́вь нам де́душка скатёрочку попроси́ла хозя́йка.
Оста́влю. То́лько никому́ о ней не говори́те, а то еды́ не бу́дет.
Це́лую ночь пирова́ли...

18-12 | Знаки препинания при цитатах. Расставьте знаки препинания (цитаты выделены курсивом).

1. *Я после́дний поэ́т дере́вни* пи́шет Есе́нин в своём стихотворе́нии
2. *Мы не зна́ли, что стихи́ та́кие живу́чие* писа́ла А́нна Ахма́това
3. А.С. Пу́шкин писа́л *Говоря́т, что несча́стие – хоро́шая шко́ла; мо́жет быть. Но сча́стие есть лу́чший университе́т*
4. А́нна Ахма́това писа́ла, что она́ *была́ в вели́кой сла́ве, испыта́ла велича́йшее бессла́вие – и убеди́лась, что в су́щности э́то одно́ и то́ же*
5. Зинаи́да Ги́ппиус писа́ла *У надє́жды глаза́ так же велики́, как и у стра́ха*
6. Л.Н. Толсто́й писа́л *Все счастли́вые се́мьи сча́стливы одина́ково, ка́ждая несча́стная семья́ несча́стна по-сво́ему*

19

ГЛАВА

Готовим сами?

В этой главе:

1. Статья о кулинарной передаче и кулинарные рецепты.
2. Повесть Н. Гоголя «Старосветские помещики» (отрывок).
3. Правописание. Раздельное написание союзов.
4. Пунктуация. Повторение.

19-1 | Прочитайте статью и разбейте её на абзацы.

Леони́д Парфёнов подтверди́л, что «сча́стье есть», почи́стив карто́шку! Ря́дом со свое́й жено́й Еле́ной Чека́ловой, веду́щей кулина́рной переда́чи на Пе́рвом кана́ле «Сча́стье есть», изве́стный журнали́ст Леони́д Парфёнов прово́рно чи́стил карто́шку, руби́л зе́лень и да́же был по́слан в магази́н за молоко́м. Что, не ожида́ли? Вот и я то́же не ожида́ла. А потому́ досмотре́ла переда́чу до конца́ на одно́м дыха́нии. Нет, э́то далеко́ не пе́рвая програ́мма про еду́, кото́рую я посмотре́ла. Я смотрю́ большинство́ кулина́рных шо́у, да́же те, что устра́иваются рыбака́ми на берегу́ водоёмов. И вот уже́ не́сколько лет подря́д по́сле просмо́тра той и́ли ино́й переда́чи меня́ не покида́ло чу́вство како́й-то незавершённости. Чего́-то не хвата́ло. Был реце́пт. Была́ те́хника его́ исполне́ния.
В конце́ – краси́вое аппети́тное блю́до. Но всегда́ не хвата́ло ма́лого: отве́та на вопро́с, а для чего́ мы всё э́то де́лаем? Нет, коне́чно, по́вод всегда́ был – и́ли пра́здник како́й-то, и́ли сме́на вре́мени го́да, и́ли мо́да на определённый вид еды́. Но э́то, повторя́ю, был по́вод. И в фина́ле переда́чи веду́щий обяза́тельно говори́л, по како́му слу́чаю э́то блю́до гото́вится: э́то – когда́ к вам прихо́дят го́сти, э́то – е́сли вам хо́чется подня́ть себе́ настрое́ние, э́то – для романти́ческого свида́ния, э́то – е́сли вам не́когда стоя́ть у плиты́. Не стоя́ть у плиты́! После́днее вре́мя все об э́том говоря́т. Чего́ греха́ таи́ть, я и сама́, как веду́щая кулина́рной те́мы, то и де́ло пишу́ ру́брики с усло́вным назва́нием «Блю́да на ско́рую ру́ку», «Еда́ без осо́бого труда́», «У́жин за пять мину́т»... Хотя́ меня́ саму́ вы́растили на ба́бушкиных голубца́х и ма́миных блина́х и я зна́ю, что норма́льного семе́йного обе́да за 20 мину́т не полу́чится.

Ну вот я наконе́ц и подошла́ к тому́, что́ мне так понра́вилось в переда́че «Сча́стье есть». В э́той переда́че гото́вили не по по́воду, не для кого́-то, а для себя́. Семья́ гото́вила себе́ обе́д. Так, как и должно́ быть у норма́льных люде́й. Без вся́ких огово́рок на то, что сейча́с всё мо́жно купи́ть, что мы доста́точно зараба́тываем, для того́ что́бы не стоя́ть у плиты́. Мы уви́дели и то, что помога́ть друг дру́гу, хоть на ку́хне, хоть в профе́ссии, да хоть где, – это так же норма́льно, как гото́вить дома́шнюю еду́ для свои́х са́мых бли́зких люде́й. Причём, говоря́ о дома́шней еде́, я умы́шленно не произношу́ сло́ва «же́нщина» и́ли «хозя́йка». Потому́ что мы, сла́ва бо́гу, в своём созна́нии потихо́ньку ста́ли дораста́ть до того́, что семья́ – э́то, пре́жде всего́, взаи́мная забо́та друг о дру́ге.
И приготовле́ние дома́шних обе́дов – э́то са́мое пе́рвое проявле́ние тако́й забо́ты. Да, мо́жно и ну́жно ходи́ть в рестора́ны и кафе́.
Да, ну́жно покупа́ть полуфабрика́ты, из кото́рых на ско́рую ру́ку, по́сле рабо́ты, мо́жно сообрази́ть каку́ю-никаку́ю еду́. Но то́лько не лиша́ть себя́ удово́льствия быть семьёй, у кото́рой «Сча́стье есть»!

Окса́на Каса́ткина,
реда́ктор ру́брики «Прия́тного аппети́та»

19-2 | Прочитайте статью в 19-1 ещё раз. Сформулируйте и запишите главную мысль каждого абзаца.

19-3 | Прочитайте статью в 19-1 ещё раз. Сформулируйте и запишите основную идею этой статьи: что хотел сказать автор читателю. Озаглавьте эту статью.

19-4 | Ваше мнение. Напишите, нужно ли готовить для своей семьи. Выразите ваше мнение и аргументируйте его.

19-5 | Форум. Прочитайте сообщения на форуме и напишите, какой вопрос обсуждается.

Форум

Ве́ра Сообще́ние 1

Все говоря́т, что в го́сти прихо́дят не для того́, что́бы есть, а что́бы обща́ться, а на са́мом де́ле, е́сли нет вку́сной еды́, и обще́ния не бу́дет.

Са́ша Сообще́ние 2

Интере́сно, кто твои́ го́сти. Мои́ прихо́дят потусова́ться, а не сиде́ть за столо́м.

Ива́н Алексе́евич Сообще́ние 3

Я, наве́рное, ста́рше здесь всех, но скажу́, что засто́лье с хоро́шей и вку́сной едо́й о́чень ва́жно. Ведь хоро́шая еда́ – э́то любо́вь и труд хозя́йки.

Таню́ша Сообще́ние 4

Э́то ра́ньше ну́жно бы́ло гото́вить, а тепе́рь мо́жно купи́ть полуфабрика́ты. Кто хо́чет стоя́ть на ку́хне весь день, а пото́м ещё мыть посу́ду полно́чи? Тогда́ лу́чше и госте́й не звать.

Семён Сообще́ние 5

А вообще́, кто́-то заме́тил, что традицио́нных засто́лий не существу́ет сейча́с практи́чески? На столе́ мое́й ба́бушки непреме́нно была́ фарширо́ванная ры́ба, холоде́ц, горя́чее, ча́ще всего́ в не́скольких вариа́нтах, и ещё ма́сса заку́сок, кото́рые то́же бы́ли обяза́тельно…

Ӣра Сообще́ние 6

А никто́ и не отменя́л «ба́бушкиных столо́в», но они́ для семе́йных посиде́лок и пра́здников. Кака́я мо́жет быть ба́бушка на тусо́вке? Хотя́ как раз моя́ поко́йная ба́бушка люби́ла ра́зные тусо́вки, и её там люби́ли...

19-6 | Перечитайте форум в 19-5. Кто из участников считает, что готовить для гостей надо, а кто – нет? С чьим мнением вы согласны и почему?

Имя	За	Против	Неясно
Лина			
Саша			
Иван Алексеевич			
Танюша			
Семён			
Ира			

19-7 | Примите участие в форуме в 19-5 и напишите ваше сообщение. Аргументируйте свою точку зрения. Используйте известные вам средства связи.

19-8 | Прочитайте рецепт салата.

Сала́т «Ле́то в дере́вне»

Проду́кты: 2–3 больши́х помидо́ра, 2 солёных (!) огурца́, 2 варёных яйца́, 1 лу́ковица, 1–2 зубка́ чеснока́, зе́лень (ра́зная), соль, пе́рец, расти́тельное ма́сло.

Инстру́кции: Всё поре́зать (лук о́чень то́нко, а чесно́к ме́лко), перемеша́ть, посоли́ть, поперчи́ть, запра́вить расти́тельным ма́слом. Подава́ть лу́чше всего́ с чёрным хле́бом.

19-9 | Перечитайте рецепт салата «Лето в деревне» (19-8) и впишите пропущенные слова.

Сначала надо взять ____, потом

добавить ___________________ и _______________________. Кроме того,

нужны _____________________. В конце надо добавить _____________,

______________________ и ____ и

заправить салат ____.

19-10 | Борщ. Прочитайте, как готовить вегетарианский борщ.

Борщ – э́то люби́мый суп мно́гих люде́й, и мой то́же. Реце́пт борща́ передаётся в на́шей семье́ от ба́бушки к ма́ме, от ма́мы к до́чери... Он ассоции́руется у нас с семе́йным обе́дом. Мы предлага́ем вам реце́пт борща́ вегетариа́нского.

Для приготовле́ния борща́ по э́тому реце́пту вам пона́добятся сле́дующие проду́кты: морко́вь, лук, карто́фель, капу́ста, све́жие помидо́ры, зелёный горо́шек, чесно́к и, есте́ственно, свёкла.

В пе́рвую о́чередь поста́вьте кастрю́лю на плиту́, нале́йте расти́тельного ма́сла. Доба́вьте туда́ наре́занную ку́биками одну́ большу́ю свёклу, зате́м наре́занную морко́вь и две лу́ковицы, в конце́ положи́те столо́вую ло́жку тома́тной па́сты. Слегка́ всё обжа́рьте и доба́вьте горя́чей воды́. Пуска́й о́вощи немно́го поваря́тся, 15 мину́т бу́дет вполне́ доста́точно. По́сле э́того очи́стите карто́фель, наре́жьте его́ ку́биками и доба́вьте в суп. Не забу́дьте посоли́ть суп по вку́су. По́сле того́ как суп с карто́фелем закипи́т, доба́вьте в него́ ме́лко наре́занную капу́сту. За не́сколько мину́т до гото́вности положи́те в суп наре́занные све́жие помидо́ры, ру́бленый чесно́к и зе́лень.

Вегетариа́нский борщ гото́в. Пора́ за стол! Прия́тного вам аппети́та!

19-11 | Перечитайте рецепт борща в 19-10 и напишите ответы на следующие вопросы.

1. В каком порядке кладутся в борщ ингредиенты?
2. Сколько этапов в приготовлении борща? Перечислите их.
3. Что надо сделать за несколько минут до готовности?

19-12 | Напишите рецепт вашего любимого блюда. Используйте рецепты в 19-8 и в 19-10 в качестве примера.

19-13 | История салата «Оливье». Прослушайте рассказ об истории салата «Оливье». Запишите основную информацию и ключевые слова. Напишите изложение этого рассказа.

19-14 | Изложение. Прочитайте отрывок из повести Н. Гоголя «Старосветские помещики» и напишите изложение. Героев повести зовут Афанасий Иванович и Пульхерия Ивановна. Они уже старые люди и много лет женаты.

Н. Го́голь
Старосве́тские помéщики
(отры́вок)

Оба старичка́, по стари́нному обы́чаю старосве́тских поме́щиков, о́чень люби́ли поку́шать. Как то́лько занима́лась заря́ (они́ всегда́ встава́ли ра́но), они́ уже́ сиде́ли за сто́ликом и пи́ли ко́фе. Напи́вшись ко́фею, Афана́сий Ива́нович выходи́л в се́ни и, тряхну́вши платко́м, говори́л: «Киш, киш! Пошли́, гу́си, с крыльца́!»

По́сле э́того Афана́сий Ива́нович возвраща́лся в поко́и и говори́л, прибли́зившись к Пульхе́рии Ива́новне:

– А что, Пульхе́рия Ива́новна, мо́жет быть, пора́ закуси́ть чего́-нибудь?

– Чего́ же бы тепе́рь, Афана́сий Ива́нович, закуси́ть, ра́зве ко́ржиков с са́лом, и́ли пирожко́в с ма́ком, и́ли, мо́жет быть, ры́жиков солёных?

– Пожа́луй, хоть и ры́жиков и́ли пирожко́в, – отвеча́л Афана́сий Ива́нович, и на столе́ вдруг явля́лась ска́терть с пирожка́ми и ры́жиками.

За час до обе́да Афана́сий Ива́нович заку́шивал сно́ва, выпива́л стари́нную серебряную ча́рку во́дки, заеда́л грибка́ми, ра́зными сушёными ры́бками и про́чим. Обе́дать сади́лись в двена́дцать часо́в. Кро́ме блюд и со́усников, на столе́ стоя́ло мно́жество горшо́чков с зама́занными кры́шками, что́бы не могло́ вы́дохнуться како́е-нибудь аппети́тное изде́лие стари́нной вку́сной ку́хни. За обе́дом обыкнове́нно шёл разгово́р о предме́тах, са́мых бли́зких к обе́ду.

– Мне ка́жется, как бу́дто э́та ка́ша, – гова́ривал обыкнове́нно Афана́сий Ива́нович, – немно́го пригоре́ла; вам э́того не ка́жется, Пульхе́рия Ива́новна?

– Нет, Афана́сий Ива́нович; вы положи́те побо́льше ма́сла, тогда́ она́ не бу́дет каза́ться пригоре́лою, и́ли вот возьми́те э́того со́усу с грибка́ми и подле́йте к ней.

– Пожа́луй, – говори́л Афана́сий Ива́нович, подставля́я свою́ таре́лку, – попро́буем, как оно́ бу́дет.

По́сле обе́да Афана́сий Ива́нович шёл отдохну́ть оди́н ча́сик, по́сле чего́ Пульхе́рия Ива́новна приноси́ла разре́занный арбу́з и говори́ла:

– Вот попро́буйте, Афана́сий Ива́нович, како́й хоро́ший арбу́з.

– Да вы не ве́рьте, Пульхе́рия Ива́новна, что он кра́сный в среди́не, – говори́л Афана́сий Ива́нович, принима́я поря́дочный ломо́ть, – быва́ет, что и кра́сный, да нехоро́ший.

Но арбу́з неме́дленно исчеза́л. По́сле э́того Афана́сий Ива́нович съеда́л ещё не́сколько груш и отправля́лся погуля́ть по са́ду вме́сте с Пульхе́рией Ива́новной.

Прише́дши домо́й, Пульхе́рия Ива́новна отправля́лась по свои́м дела́м, а он сади́лся под наве́сом. Немно́го погодя́ он посыла́л за Пульхе́рией Ива́новной и́ли сам отправля́лся к ней и говори́л:

– Чего́ бы тако́го пое́сть мне, Пульхе́рия Ива́новна?

– Чего́ же бы тако́го? – говори́ла Пульхе́рия Ива́новна. – Ра́зве я пойду́ скажу́, что́бы вам принесли́ варе́ников с я́годами, кото́рых приказа́ла я наро́чно для вас оста́вить?

– И то до́бре, – отвеча́л Афана́сий Ива́нович.

– Или, мо́жет быть, вы съе́ли бы кисе́лику?

– И то хорошо́, – отвеча́л Афана́сий Ива́нович. По́сле чего́ всё э́то неме́дленно бы́ло приноси́мо и, как во́дится, съеда́емо.

ПРАВОПИСАНИЕ

Раздельное написание союзов
Пишутся раздельно союзы ***потому что***, ***так как***, ***так что***, ***то есть***, например: *Света не любит готовить,* ***потому что*** *у неё нет времени.*

19-15 | Раздельное написание союзов. Вместе или раздельно? Выберите правильный вариант написания.

1. Не на́до гото́вить, (потомучто / потому что) я приглаша́ю тебя́ в рестора́н на у́жин. 2. Э́то статья́ о фастфу́де, (тоесть / то есть) о бы́строй еде́. 3. На́до пить бо́льше со́ков, (потомучто / потому что) э́то поле́зно. 4. Есть фастфу́д не на́до, (таккак / так как) все говоря́т, что э́то вре́дно. 5. Мы вас не ви́дели це́лые три неде́ли, (такчто / так что) приходи́те к нам на обе́д, я пригото́влю что́-нибудь вку́сненькое. 6. Я на дие́те, (потомучто / потому что) мне на́до похуде́ть. 7. Я не ем мя́со, (такчто / так что) не гото́вь сте́йки.

ПУНКТУАЦИЯ

19-16 | Повторение. Запятые. Расставьте запятые.

Како́й ру́сский не лю́бит бы́строй еды́…

Иссле́дования учёных При́нстонского университе́та в Нью-Дже́рси показа́ли что проду́кты бы́строго приготовле́ния мо́гут вызыва́ть у челове́ка почти́ таку́ю же зави́симость, как нарко́тики.

Съел и поря́док?

В Росси́и производи́тели фастфу́да с ка́ждым днём ло́вят в свои́ торго́вые се́ти всё бо́льше и ве́чно заняты́х и ве́чно лени́вых. Ра́ньше трапе́зничали на Руси́ до́лго и с удово́льствием а сейча́с како́й ру́сский не лю́бит бы́строй еды́?

Что́бы вы́яснить лю́бит всё-таки и́ли не лю́бит я на голо́дный желу́док обошла́ фастфу́ды на́шего городка́ и для чистоты́ экспериме́нта попро́бовала их на вкус. Рекла́мный сло́ган «Съел и по́рядок» в моём слу́чае звуча́л как издева́тельство: желу́док моли́л о милосе́рдии но бы́ло уже́ по́здно…

ГЛАВА 20

Путешествия

В этой главе:
1. Прогноз погоды.
2. Статьи о географии и путешествиях.
3. Выражение согласия/несогласия.
4. Правописание и пунктуация. Повторение.

20-1 | От схемы к описанию. Прочитайте прогноз погоды на утро. Напишите подобные прогнозы погоды на день, вечер и ночь, используя данные, приведённые в таблице.

Прогно́з пого́ды на у́тро

Кака́я пого́да бу́дет за́втра у́тром?

За́втра у́тром в Санкт-Петербу́рге бу́дет о́блачно, но дождя́ не ожида́ется. Температу́ра 4–6 гра́дусов тепла́. Давле́ние 766 миллиме́тров рту́тного столба́. Вла́жность 92 проце́нта. Ве́тер ю́го-восто́чный, от двух до четырёх ме́тров в секу́нду.

Прогно́з пого́ды
на за́втра
в Санкт-Петербу́рге

Вто́рник	Пого́дные явле́ния	t °C	Давле́ние	Отн. вла́жность	Ве́тер
У́тро	О́блачно. Без оса́дков.	+4…+6	766	92 %	[ЮВ] 2–4 м/с
День	Переме́нная о́блачность Без оса́дков.	+9…+11	765	81 %	[ЮВ] 3–5 м/с
Ве́чер	Па́смурно. Без оса́дков.	+6…+8	764	95 %	[ЮВ] 3–5 м/с
Ночь	О́блачно. Без суще́ственных оса́дков.	+5…+7	762	98 %	[СЗ] 4–6 м/с

20-2 | Имейл друзьям. Напишите имейл друзьям, которые собираются приехать к вам в гости в Санкт-Петербург. Опишите, какая погода будет завтра в Санкт-Петербурге, используя информацию в 20-1, средства связи, которые вы знаете, а также данные выражения.

1. Температу́ра во́здуха подни́мется/упадёт до … гра́дусов тепла́.
2. Во́здух прогре́ется до … гра́дусов тепла́.
3. Вла́жность подни́мется/упадёт до … проце́нта (проце́нтов).
4. Ско́рость ве́тра увели́чится/уме́ньшится до … ме́тров в секу́нду.
5. Ве́тер уси́лится/ути́хнет.

20-3 | Прочитайте текст о географии России. Обратите внимание на выделенные слова. Эти слова часто употребляются в статьях по географии.

Росси́я *располо́жена на восто́ке* Евро́пы и *на се́вере* А́зии. Она́ *занима́ет* о́коло 1/3 террито́рии Евра́зии. Европе́йская часть страны́ (о́коло 23 % пло́щади) *включа́ет террито́рии* к за́паду от Ура́льских гор (грани́цу усло́вно прово́дят по Ура́лу). Азиа́тская часть Росси́и, занима́ющая о́коло 76 % террито́рии, *лежи́т к восто́ку* от Ура́ла и называ́ется Сиби́рью (одна́ко то́чное определе́ние грани́ц Сиби́ри явля́ется вопро́сом спо́рным).

Росси́я – страна́ приро́дных контра́стов; *сре́дние температу́ры* са́мого тёплого ме́сяца *коле́блются* от +1 °C на Кра́йнем Се́вере до +25 °C на Прикаспи́йской ни́зменности, са́мого холо́дного ме́сяца — от +6 °C на Черномо́рском побере́жье до –50 °C в се́веро-восто́чной Сиби́ри. В Росси́и нахо́дятся *са́мое глубо́кое о́зеро* ми́ра (Байка́л), *высоча́йшая верши́на* Евро́пы (Эльбру́с), *са́мая дли́нная река́* Евро́пы (Во́лга) и *са́мое большо́е* о́зеро Евро́пы (Ла́дожское), а та́кже по́люс хо́лода *Се́верного полуша́рия* (Оймяко́н).

20-4 | Прочитайте текст о географии России (20-3) ещё раз и разбейте его на абзацы. Напишите вопрос к каждому абзацу.

20-5 | Закончите предложения.

1. *Россия расположена* ______________________
2. *Европейская часть страны находится* ______________
3. *Азиатская часть страны находится* ______________
4. *Граница между Европой и Азией проходит по* ________
____
5. *Сибирь – это территория, которая* ______________
6. *Средние температуры* ______________________
7. *Байкал – самое* ______________________
8. *Эльбрус – самая* ______________________
9. *Волга – самая* ______________________
10. *Полюс холода находится* ______________________

20-6 | Прочитайте текст о географии США. Подчеркните и выпишите из текста слова, необходимые для того, чтобы написать о географии США.

Соединённые Шта́ты Аме́рики – госуда́рство, располо́женное в За́падном полуша́рии, на контине́нте Се́верная Аме́рика. США состо́ит из 48 грани́чащих друг с дру́гом шта́тов в континента́льной ча́сти и двух шта́тов, не име́ющих о́бщей грани́цы с остальны́ми: Аля́ски, огро́много полуо́строва, занима́ющего се́веро-за́падную часть контине́нта Се́верная Аме́рика, и острово́в Гава́йи в Ти́хом океа́не. На се́вере США грани́чат с Кана́дой, а на ю́ге с Ме́ксикой.

И́з-за большо́го разме́ра страны́, её протя́жённости и географи́ческих осо́бенностей на террито́рии США мо́жно найти́ райо́ны с практи́чески любы́ми климати́ческими характери́стиками. Бо́льшая часть США располага́ется в зо́не уме́ренного кли́мата, южне́е преоблада́ет субтропи́ческий кли́мат,

Гава́йи и ю́жная часть Флори́ды лежа́т в зо́не тро́пиков, а се́вер Аля́ски отно́сится к поля́рным регио́нам.

20-7 | Напишите краткое изложение текста о географии США, используя слова и выражения, которые вы выписали в 20-6.

20-8 | Напишите о географии страны или региона, где вы живёте. Данные ниже вопросы помогут вам.

1. Где находится?
2. С какими странами/регионами граничит на севере, на юге, на западе, на востоке?
3. Какие имеет климатические условия?
4. Какие есть озёра, горы, реки?
5. Какие географические особенности можно отметить?

20-9 | Прочитайте статью о путешествии автостопом и сделайте задание 20-10.

Путеше́ствие автосто́пом – э́то беспла́тное передвиже́ние на попу́тных маши́нах из то́чки А в то́чку Б. Для остано́вки маши́н испо́льзуются ра́зные зна́ки, но ча́ще всего́ э́то вы́тянутая в сто́рону рука́ с по́днятым вверх больши́м па́льцем. Путеше́ствие автосто́пом ча́сто воспринима́ется как не́что опа́сное, авантю́рное и негати́вное, поэ́тому хочу́ разве́ять не́которые ми́фы и подели́ться впечатле́ниями от свои́х путеше́ствий по Росси́и автосто́пом.

Миф пе́рвый: никто́ не остано́вится.

Остана́вливаются, и ещё как! Я у ка́ждого води́теля спра́шивал, мол, почему́ подобра́ли. Подбира́ют, потому́ что ви́дят: челове́к с рюкзако́м, зна́чит, он тури́ст, а тури́сты – хоро́шие лю́ди. Иногда́ води́тели са́ми тури́сты, и они́ пуска́ются в расска́зы о свои́х путеше́ствиях по Росси́и.

Миф второ́й: опа́сно, мол.

Так опа́сно вообще́ из до́ма выходи́ть. У меня́ есть ку́ча знако́мых, кото́рые практику́ют путеше́ствия автосто́пом, и ни от кого́ я не слы́шал, что возника́ли серьёзные пробле́мы в доро́ге.

А вообще́, води́тели – хоро́шие лю́ди, плохи́е не остано́вятся. Ча́сто да́же угоща́ют ча́ем, бутербро́дами, фру́ктами.

Миф тре́тий: е́хать до́лго.

В центра́льной ча́сти Росси́и, где большо́й тра́фик, ско́рость перемеще́ний ме́жду кру́пными города́ми немно́гим до́льше по́езда. Да никто́ и не меша́ет совмеща́ть путеше́ствие автосто́пом с перемеще́нием на пла́тных ви́дах тра́нспорта.

Миф четвёртый: антисанита́рные усло́вия.

По су́ти, путеше́ствие автосто́пом не си́льно отлича́ется от пое́здки на со́бственном тра́нспорте. Вы мо́жете есть в кафе́, ночева́ть в гости́нице, принима́ть душ и про́чее.

И вопро́с: заче́м вообще́ э́то на́до?

Мно́гие автосто́пщики путеше́ствуют по Росси́и и ми́ру не и́з-за эконо́мии, а про́сто потому́, что э́то им нра́вится. Во-пе́рвых, интере́сно обща́ться с ра́зными людьми́, прочу́вствовать чужу́ю жизнь, так сказа́ть... Во-вторы́х, для не́которых люде́й э́то встря́ска, сме́на привы́чной зо́ны комфо́рта. В-тре́тьих, таки́м о́бразом мо́жно прове́рить своё отноше́ние к ми́ру, к лю́дям и отноше́ние ми́ра к себе́.

Уда́чных путеше́ствий автосто́пом! Путеше́ствий по Росси́и и не то́лько!

20-10 | Прочитайте, какие доводы приводит автор статьи в 20-9 в пользу путешествия автостопом. Какие из этих доводов кажутся вам убедительными, а какие – малоубедительными? Кратко напишите, почему вы так считаете.

Утверждение автора	Убедительны ли его доводы?	Почему? Ваши доводы!
1. Все машины останавливаются.		
2. Автостопом ездить безопасно.		

3. Ехать автостопом так же долго, как и другим способом.		
4. Условия путешествия комфортны.		

20-11 | **Выпишите из текста в 20-9, как автор объясняет, зачем путешествовать автостопом. С какими из этих доводов вы согласны, а с какими – нет? Вы должны высказать ваше мнение и аргументировать его. Используйте известные вам средства связи, а также следующие выражения:**

Выражение согласия	Я согла́сен / согла́сна с мне́нием (*кого́?*) / то́чкой зре́ния (*кого́?*); Я по́лностью разделя́ю то́чку зре́ния (*кого́?*); Мо́жно согласи́ться с (*кем?*/*чем?*)...
Выражение несогласия	В це́лом я согласе́н / согла́сна с а́втором те́кста, одна́ко...; Не во всем мо́жно согласи́ться с а́втором те́кста...; У меня́ друга́я то́чка зре́ния на э́то; Одна́ко у меня́ друго́е мне́ние; Как раз наоборо́т...
Выражение точки зрения	Я счита́ю, что...; По моему́ мне́нию...; По-мо́ему...
Аргументация точки зрения	Мо́жно привести́ тако́й приме́р...; Мой до́вод заключа́ется в том, что...; Доказа́тельством э́той мы́сли мо́жет служи́ть тот факт, что...; Для доказа́тельства свое́й пози́ции я хочу́ привести́ сле́дующие аргуме́нты. Во-пе́рвых... Во-вторы́х... В-тре́тьих...; Что и дока́зывает мою́ то́чку зре́ния...

20-12 | Ответ. Прочитайте имейл и ответьте на него. Убедите ваших друзей в том, что лучше всего путешествовать на поезде. Используйте средства связи в 20-11.

Надюша, тут целая компания (ты почти всех знаешь) собирается на машине в Крым. Поедешь? Алёша тоже едет. Оля

20-13 | Изложение. Три раза прослушайте отрывок из рассказа А.П. Чехова «Мальчики». Во время слушания записывайте ключевые слова и выражения. Напишите изложение, используя записанные вами ключевые слова и выражения.

20-14 | Напишите окончание рассказа (8–10 предложений).

20-15 | Найдите в Интернете рассказ Чехова «Мальчики» и сравните конец рассказа с тем, что вы написали.

ПРАВОПИСАНИЕ И ПУНКТУАЦИЯ

20-16 | Повторение. Прочитайте и вставьте, где надо, пропущенные буквы. Расставьте знаки препинания. Объясните ваши решения.

Россияне отправляются в путешествия

В первом квартале этого года за рубеж_ (-/ь) с целью туризма выехали более 2 мил_ионов (-/л) 100 тысяч_ (-/ь) рос_ иян (-/с) что на 44 % выше прошлогодне_о (в/г) показателя за анал_гичный (а/о) период.

Такие ц_фры (ы/и) приводит Федеральное агентство по туризму о чём сообщает НТВ[20]. Чемоданное настр_ение (а/о) к согражданам стало ча_е (щ/сч) пр_ходить (е/и) на фоне _слабления (а/о) кризиса укр_пления (е/и) рубля и либерализац_и (ы/и) визовых реж_мов (ы/и) некоторых стран.

[20] НТВ – популярный российский телеканал.

Активн_е (е/и) все_о (в/г) загранпаспорта рос_иян (-/с) штамповали в Египте куда за указанный период пр_ехало (е/и) более полумил_иона (-/л) туристов из России. Дал_е (е/и) в рейтинге п_пулярности (а/о) идёт Китай Финляндия Таиланд и Германия. А в конце списка _казались (а/о) Мальта Словакия Румыния Филиппины и Малайзия.

20-17 | Диктант. Слушайте и вписывайте пропущенные слова. Расставьте знаки препинания и ударения в словах.

В свадебное путешествие – на Международную космическую станцию (МКС)

Любая пара ______________________ у которой найдётся 40 ______________________ долларов может теперь отправиться в свадебное ______________________ на МКС.

Как ______________________ НТВ в Росавиакосмосе вариант отправки сразу двух туристов на одном ______________________ уже предусмотрен в планах развития ______________________туризма. Правда есть дополнительные условия.

Желающим провести ______________________ медового месяца на орбите нужно будет ______________________ что они не имеют вредных привычек, не______________________ в террористических ______________________ и что деньги получены ______________________.

Минимальный курс подготовки к космическому полёту ____________________ 8–10 месяцев. За это время кандидаты ____________________ испытания на центрифуге тренинг на психологическую ____________________ и курс ____________________ в экстремальных условиях.

Экология и демография

В этой главе:
1. Статья «Парниковые газы и мегаполисы».
2. Форум «Где лучше жить?».
3. Правописание и пунктуация. Повторение.

21-1 | Прочитайте заметку. Подчеркните и выпишите ключевые слова и выражения.

Парнико́вые га́зы и мегапо́лисы

Экономи́ческое разви́тие сопровожда́ется ро́стом потребле́ния ра́зных ви́дов то́плива. Как мы зна́ем, всё бо́льше и бо́льше угля́, не́фти и приро́дного га́за регуля́рно сжига́ется заво́дами, фа́бриками и электроста́нциями, а та́кже на тра́нспорте и в дома́шнем хозя́йстве. Э́то приво́дит к увеличе́нию эми́ссии (объёма вы́бросов) в атмосфе́ру углеки́слого га́за (CO_2), кото́рый явля́ется важне́йшим компоне́нтом парнико́вых га́зов – га́зов, заде́рживающих инфракра́сное (теплово́е) излуче́ние Земли́ и создаю́щих опа́сность повыше́ния сре́дних годовы́х температу́р у пове́рхности на́шей плане́ты.

Пробле́ма, опи́санная вы́ше, волну́ет мно́гих учёных. Она́ ста́ла центра́льной те́мой мно́гих нау́чных иссле́дований. Так, брита́нские учёные из Междунаро́дного институ́та эколо́гии и разви́тия провели́ иссле́дование коли́чества вы́бросов парнико́вых га́зов в атмосфе́ру на ду́шу населе́ния в больши́х и ма́лых города́х и сде́лали парадокса́льное, на пе́рвый взгляд, заключе́ние. В результа́те э́того иссле́дования, кото́рое проводи́лось в тече́ние 13 лет в 12 кру́пных города́х на не́скольких контине́нтах (за исключе́нием А́фрики и Австра́лии), они́ установи́ли, что по коли́честву вы́бросов парнико́вых га́зов в атмосфе́ру на ду́шу населе́ния мегапо́лисы уступа́ют ма́леньким города́м. В ка́честве основно́й причи́ны э́того явле́ния иссле́дователи называ́ют то, что лю́ди в больши́х города́х живу́т в небольши́х кварти́рах и ча́ще по́льзуются обще́ственным тра́нспортом.

21-2 | Перепишите абзац, расположив предложения в логическом порядке. Найдите и подчеркните все средства связи элементов текста.

При этом увеличивается совокупная эмиссия в атмосферу углекислого газа (CO_2). И это приводит к тому, что парниковые газы создают опасность повышения средних годовых температур у поверхности нашей планеты. Как мы знаем, всё больше и больше угля, нефти и природного газа регулярно сжигается заводами, фабриками и электростанциями, а также на транспорте и в домашнем хозяйстве. Что, конечно, не может не волновать учёных. CO_2 является важнейшим компонентом парниковых газов – газов, задерживающих инфракрасное (тепловое) излучение Земли.

21-3 | Напишите полные ответы на вопросы к заметке «Парниковые газы и мегаполисы», используя ключевые слова и выражения, которые вы выписали из 21-1.

1. Какая тема обсуждается в заметке?
2. В результате чего выбрасывается в атмосферу углекислый газ (CO_2)?
3. Почему опасны парниковые газы?
4. В течение какого времени проводилось исследование?
5. На каких континентах проводилось это исследование?
6. Какие выводы были сделаны в результате исследования?
7. Как исследователи объясняют свои выводы?

21-4 | В одном предложении выразите основную мысль заметки «Парниковые газы и мегаполисы» в 21-1.

Основная идея статьи „Парниковые газы и мегаполисы" заключается в том, что...

21-5 | Рассуждение. Напишите, почему заключение, которое сделали британские учёные в результате своего исследования, называется в заметке (21-1) парадоксальным. Используйте следующую структуру для вашего сочинения:

1. Краткое описание исследования, которое было проведено британскими учёными.
2. Заключение, которое было сделано британскими учёными.
3. Оценка заключения автором статьи.
4. Ваше мнение-рассуждение.

21-6 | Форум «Где лучше жить?». Прочитайте сообщения участников форума «Где лучше жить?».

Форум > Где лучше жить?

Сообщéние 1

В дерéвне вóздух чи́стый и т. д., а в гóроде вóздух загрязнён, водá плохáя, но ведь в дерéвне нет тогó, что есть в гóроде, напримéр инфраструкту́ры, Интернéта, дискотéк и всегó такóго...

Сообще́ние 2

Я счита́ю, что хорошо́ жить на окра́ине го́рода. Вот я живу́ на окра́ине, у меня́ да́же огоро́д есть, да́чи не на́до, и дере́вьев бо́льше. За проду́ктами на ры́нок не на́до е́здить ча́сто, потому́ что есть своё, дома́шнее. А вот в це́нтре мне не нра́вится, там же дыша́ть не́чем.

Сообще́ние 3

Чи́стая экологи́ческая среда́ – привлека́ет, НО: дорого́й Интерне́т, необходи́мо зака́зывать кни́ги по по́чте, они́ иду́т до́лго, и сто́имость их получа́ется вы́ше. В о́бщем, неудо́бно. Плюс сла́бо развита́ инфраструкту́ра го́рода: недоста́точное коли́чество больни́ц, школ и ча́сто отсу́тствие ву́зов (на́до е́хать куда́-то учи́ться).

Сообще́ние 4

Сто́лько люде́й среди́ знако́мых сейча́с хотя́т перее́хать из Москвы́ в Подмоско́вье, про́сто кошма́р! За мо́дой на здоро́вый о́браз жи́зни пришла́ мо́да на здоро́вую жизнь. Коне́чно, тут не поспо́ришь, в при́городе всё по-друго́му, чем в столи́це. И лю́ди там други́е. И трава́ зелене́е. И не́бо голубе́е.

Сообще́ние 5

В ми́ре, где ка́ждый год появля́ется но́вый тип гри́ппа, лу́чше жить пода́льше от больши́х городо́в. Я про́тив жи́зни в большо́м го́роде. Уда́чного вам перее́зда за́ город, когда́ реши́те, что э́то на́до сде́лать!

Сообще́ние 6

В прови́нции, скоре́е всего́, эколо́гия бу́дет лу́чше, чем в кру́пных города́х, и жизнь бо́лее споко́йна и разме́ренна. Говоря́т, что в ма́леньких города́х и посёлках бо́лее просты́е, доброжела́тельные отноше́ния ме́жду людьми́ и невысо́кая сто́имость прожива́ния. А вот есть ли там рабо́та? И ско́лько мо́жно зарабо́тать?

21-7 | Напишите ответы на вопросы.

1. Какие доводы приводят участники форума в пользу жизни за городом? Используйте *во-первых, во-вторых* и т. п.
2. Какие доводы приводят участники форума против жизни за городом? Используйте *кроме того, при этом, наконец.*

21-8 | Напишите ваше сообщение для форума «Где лучше жить?» в 21-6. Суммируйте мнения всех участников форума «Где лучше жить?», выскажите свою точку зрения и приведите свои доводы «за» и «против». Используйте различные средства связи элементов текста, включая следующие выражения: *главным образом, участники форума считают, что…; в общем; в целом можно сказать, что…; наконец.*

ПРАВОПИСАНИЕ И ПУНКТУАЦИЯ

21-9 | Повторение. Прочитайте и вставьте, где надо, пропущенные буквы. Расставьте знаки препинания. Объясните ваши решения.

Население России сократится на треть

Как сообщает РИА «Новости» директор Ц_нтра (е/э) демографии и экологии ч_ловека (е/и) Анатолий Вишневский заявил в среду на пресс-конференции _то (ч/ш) численность населения Рос_ии (с/-) продолжает снижат_ся (-/ь) и возможно чере_ (з/с) пят_десят_ (-/ь) лет сократит_ся (-/ь) на трет_ (-/ь).

Вишневский связывает свой прогно_ (з/с) с ни_кой (з/с) рождаемост_ю (-/ь) высоким уровнем смертности и неб_льшой (а/о) продолж_тельностью (ы/и) ж_зни (ы/и) рос_иян (с/-). По данным директора Рос_ийской (с/-) ассоциации планирования сем_и (-/ь) Инги Гребешевой тол_ко (-/ь) трид_цат_(-/ь) проц_нтов (э/е) ро_сийских (с/-) д_тей (е/и) рождают_ся (-/ь) се_одня (в/г) _доровыми (з/с).

21-10 | Повторение. Прочитайте отрывок из статьи «Россия – за экологичное будущее» и вставьте, где надо, пропущенные буквы. Расставьте знаки препинания. Объясните ваши решения.

Россия – за экологичное будущее

Экологическая ситуац_я (ы/и) в России се_одня (г/в) обсуждается на самом высоком уровне так как в М_скве (а/о) проходит заседание Совета бе_опасности (з/с) на котором с основным докладом выступает Президент России. Он не ра_ (з/с) уже выступал на эту тему и подчёркивал что проблемы за_иты (сч/щ) окружающей среды тесно _вязаны (з/с) с вопросами демографии.

Премьер-министр России который открыл заседание Совета бе_опасности (з/с) (также / так же) остановился на в_просе (а/о) влияния окружающей среды на демографию в стране. Он заявил ___Окружающая среда влияет на развитие демографического потенц_ала (ы/и) и _доровья (з/с) нац_и (ы/и). Проблемы охраны _кружающей (а/о) среды стоят се_одня (г/в) перед всеми экономически развитыми странами мира и на последнем саммите "вос_мёрки" (-/ь) они были отн_сены (е/и) к числу глобальных вызовов современности __.

На се_одняшний (г/в) ден_ (-/ь) в Рос_ии (с/-) принята Экологическая доктрина и Федеральный закон «Об _хране (а/о) _кружающей (а/о) среды» то есть нельзя сказать _то (ч/ш) в России совершенно нет соответствующих законов. Но Россия всё_таки очень сил_но (-/ь) отстаёт от развитых стран, и ей нужно выстроить единую стройную систему за_иты (сч/щ) _кружающей (а/о) среды.

Как писать рецензию

В этой главе:
1. Рецензия на фильм Н. Михалкова «12».
2. Интервью с Никитой Михалковым.
3. Рецензия на повесть Виктории Токаревой «Я есть. Ты есть. Он есть».
4. Правописание и пунктуация. Повторение.

22-1 | Прочитайте рецензию на фильм Никиты Михалкова «Двенадцать». Восстановите правильный порядок абзацев.

Про́поведь от Михалко́ва – «12»

Кинокри́тик Ната́лья Машья́нова специа́льно для ТАСС-Ура́л

Фильм: «12»
Режиссёр: Ники́та Михалко́в
Опера́тор: Владисла́в Опелья́нц
В роля́х: Ники́та Михалко́в, Серге́й Макове́цкий, Серге́й Гарма́ш, Алексе́й Петре́нко, Вален́тин Гафт, Ю́рий Стоя́нов, Михаи́л Ефре́мов и др.
Сцена́рий: Ники́та Михалко́в, Влади́мир Моисе́енко, Алекса́ндр Новото́цкий
Жанр: психологи́ческий три́ллер

«Двена́дцать» отно́сится к жа́нру суде́бной дра́мы. Основна́я колли́зия – судьба́ челове́ка зави́сит от реше́ния Други́х. В да́нном слу́чае Другие́ – колле́гия прися́жных заседа́телей, двена́дцать челове́к с разли́чным жи́зненным о́пытом и разли́чной судьбо́й. Исто́рия – чече́нский подро́сток обвиня́ется в уби́йстве своего́ приёмного отца́, ру́сского боево́го офице́ра. В нача́ле заседа́ния оди́ннадцать голосу́ют за то, что подро́сток вино́вен, и оди́н убеждён в его́ невино́вности. В конце́ фи́льма оди́ннадцать голосу́ют за то, что подро́сток невино́вен, и то́лько оди́н прися́жный, ру́сский офице́р и худо́жник-люби́тель, голосу́ет за то, что обвиня́емый вино́вен. При э́том он убеждён в невино́вности подсуди́мого, а своё реше́ние объясня́ет тем, что в тюрьме́ ма́льчик проживёт до́льше, чем на во́ле. Он предлага́ет отпра́вить в тюрьму́ неви́нного челове́ка, что́бы впосле́дствии найти́ настоя́щих уби́йц, а там назна́чить но́вое суде́бное разбира́тельство, что́бы измени́ть пригово́р подро́стку.

Я хочу́ нача́ть с того́, что снима́ть реме́йк – заня́тие риско́ванное, непредсказу́емое и неблагода́рное. Оригина́л произведе́ния я́вным о́бразом ука́зан («Двена́дцать разгне́ванных мужчи́н»), фа́була и хара́ктеры персона́жей определены́, а большинство́ зри́телей уве́рены, что оригина́л всегда́ лу́чше ко́пии. С друго́й стороны́, реме́йк – э́то как раз тот жанр голливу́дского кино́, кото́рый обеспе́чивает посеща́емость кинотеа́тров. Но то, что хорошо́ для Голливу́да, ре́дко подхо́дит режиссёрскому кино́.

В заключе́ние хо́чется отме́тить, что в фи́льме я́вно просле́живаются попы́тки дать оце́нку состоя́нию совреме́нного о́бщества, но они́ неудовлетвори́тельны: в си́лу во́зраста геро́ев получи́лся срез не росси́йского, а постсове́тского о́бщества. А морализа́торство, на мой взгляд, и во́все неуме́стно. Кино́ – э́то ли́бо развлече́ние, ли́бо иску́сство, а ника́к не сре́дство пропага́нды полити́ческих це́нностей и́ли религио́зных конце́пций. Иску́сство не разреша́ет пробле́му противостоя́ния добра́ и зла, э́то о́бласть абсолю́тной свобо́ды, и люба́я про́поведь вы́глядит наду́манной, нело́вкой и навя́зчивой.

Структу́рно фильм «Двена́дцать» состои́т из нове́лл, кото́рые после́довательно расска́зывают (и пока́зывают) геро́и. И хотя́ реализова́ть подо́бную структу́ру кра́йне сло́жно, Ники́те Михалко́ву э́то удало́сь – де́йствие развива́ется гла́дко, после́довательно и логи́чно. Режиссу́ра и игра́ актёров великоле́пны: конфли́кт ка́ждой отде́льной нове́ллы не противоре́чит «гла́вному» конфли́кту фи́льма, и зри́тель ни на секу́нду не забыва́ет о це́ли, ра́ди кото́рой двена́дцать мужчи́н собрали́сь в спорти́вном за́ле шко́лы.

Тепе́рь я сосредото́чусь на ана́лизе того́, что ви́дела: на фа́буле кинокарти́ны, структу́ре и хара́ктерах.

Персона́жи фи́льма типизи́рованы, и э́то вполне́ объясни́мо – когда́ у тебя́ двена́дцать де́йствующих лиц и два часа́ вре́мени, типиза́ция абсолю́тно необходи́ма, ведь уже́ к пятна́дцатой мину́те зри́тель до́лжен уве́ренно различа́ть всех. Но типиза́ция не должна́ быть шта́мпом! В «Двена́дцати» же ка́ждый персона́ж явля́ется шта́мпом, не ти́пом, а карикату́рой на тип: кандида́т техни́ческих нау́к, грузи́нский хиру́рг, му́дрый ста́рый евре́й, рабо́чий, такси́ст… и э́ту шабло́нность спаса́ет то́лько безупре́чная игра́ актёров.

22-2 | Прочитайте рецензию в 22-1 ещё раз и выпишите, что в фильме кинокритику Наталье Машьяновой понравилось, а что не понравилось. Как вы думаете, эта рецензия является положительной или отрицательной? Аргументируйте свою точку зрения.

22-3 | Напишите, как вы понимаете следующее утверждение кинокритика Натальи Машьяновой: «Кино – это либо развлечение, либо искусство, а никак не средство пропаганды политических ценностей или религиозных концепций».

22-4 | Посмотрите фильм «12» (например: http:my-hit.ru/film/6350/online). Напишите, с чем вы согласны в рецензии кинокритика Натальи Машьяновой, а с чем не согласны. Аргументируйте свою точку зрения.

22-5 | Прочитайте отрывки из интервью с Никитой Михалковым и напишите статью под названием «Почему Никита Михалков снял фильм “12”...», используя материалы этого интервью.

Ники́та Михалко́в. Из интервью́ журна́лу «Time Out Москва́»

Журнали́ст. «12» – пе́рвый ваш режиссёрский фильм за де́вять лет по́сле «Сиби́рского цирю́льника» 1998 го́да. Почему́ так до́лго молча́ли?

Михалко́в. По́сле «Цирю́льника» я был насто́лько вы́холощен тво́рчески и духо́вно, что ну́жно бы́ло вре́мя, что́бы что́-то накопи́ть. Собира́лся с мы́слями, что́бы вы́сказаться. Я сча́стлив, что и́менно э́той карти́ной выхожу́ по́сле дли́тельного молча́ния. Сра́зу заме́чу, что э́то не реме́йк замеча́тельного фи́льма Си́дни Лю́мета «12 разгне́ванных мужчи́н». Хотя́ у нас то́же 12 прися́жных, но они́ явля́ют собо́й основны́е сре́зы на́шего о́бщества и реша́ют судьбу́ чече́нского ма́льчика. Его́ обвиня́ют в том, что он уби́л своего́ приёмного отца́ – офице́ра Росси́йской а́рмии. По э́тому по́воду мы и размышля́ем обо всём, что происхо́дит сего́дня в на́шей стране́.

Журнали́ст. А говори́те – не реме́йк. У Лю́мета 12 прися́жных реша́ют судьбу́ латиноамерика́нского ма́льчика, кото́рый уби́л своего́ отца́.

Михалко́в. На фа́буле анало́гии и зака́нчиваются. Всё остально́е – заче́м, почему́, чем зака́нчивается карти́на – не име́ет никако́го отноше́ния к Лю́мету. Не хочу́ лиши́ть а́вторства э́того вели́кого режиссёра, а та́кже замеча́тельного писа́теля Ре́джинальда Ро́уза, но, е́сли бы они́ посмотре́ли мой фильм, они́ бы согласи́лись, что э́то не реме́йк. Та ле́нта о торжестве́ америка́нского зако́на и о том, что ва́жно найти́ и́стину в са́мых сло́жных жи́зненных обстоя́тельствах. На́ша карти́на о том, что ру́сский челове́к жить не мо́жет по зако́ну. Мне показа́лось, что э́то хоро́ший по́вод поговори́ть о том, кто мы таки́е, отку́да взяли́сь и что нам де́лать с сами́ми собо́й. Э́то ва́жно.

Журнали́ст. Вы действи́тельно счита́ете, что ру́сский челове́к не мо́жет жить по зако́ну?

Михалко́в. Да. Я ведь в свое́й карти́не говорю́ не о том, как должно́ быть, а о том, как есть. Мы в э́той карти́не артикули́руем то, о чём не при́нято сего́дня говори́ть. А ведь в Росси́и ну́жно разгова́ривать. Потому́ что ру́сский челове́к, когда́ с ним не разгова́ривают, превраща́ется в «бессмы́сленного звéря». Ру́сского челове́ка мо́жно о́чень во мно́гом убеди́ть, е́сли с ним разгова́ривать, е́сли дать ему́ вы́говориться. Об э́том ещё Достое́вский писа́л.

Журнали́ст. Но почему́ ру́сский челове́к не мо́жет жить по зако́ну?

Михалко́в. Почему́? Да потому́ что ску́чно ему́ жить по зако́ну. В зако́не ничего́ ли́чного нет, а ру́сский челове́к без ли́чных отноше́ний – пустоцве́т…

Журнали́ст. Нельзя́ не отме́тить, что в фи́льме отли́чные диало́ги, мно́гие фра́зы наверняка́ уйду́т в наро́д. Каки́е, на ваш взгляд?

Михалко́в. Да де́ло не во фра́зах. Э́та карти́на име́ет огро́мное значе́ние. По кра́йней ме́ре, для нас. Говорю́ э́то без коке́тливой скро́мности. Э́то карти́на о том, что челове́к не сре́дство, а цель. Неда́ром геро́й Маковéцкого в «12» говори́т: «Мы сейча́с проголосу́ем, а челове́ка поса́дят навсегда́. Вы то́лько вду́майтесь в э́то сло́во: на-всег-да́!» При э́том тот же геро́й, хоро́ший, в о́бщем, челове́к, позволя́ет себе́ сказа́ть об э́том чече́нском ма́льчике: «Како́й-никако́й, а челове́к». Мы вообще́ заду́мываемся об э́тих веща́х? Легко́ говори́ть о гумани́зме вообще́, а пусти́ть в дом чече́нского ма́льчика – невозмо́жно! Ничего́ не хочу́ сказа́ть плохо́го про развлека́тельное кино́. Но наро́д же живёт не то́лько в гламу́рном ми́ре Москвы́ и Санкт-Петербу́рга. Что́-то же ещё вокру́г происхо́дит! Я сам научи́лся и дете́й научи́л, что суди́ть о свое́й жи́зни на́до не по тем, кто лу́чше живёт, а по тем, кто ху́же. И их большинство́. И тогда́ о́чень мно́го вопро́сов отпада́ет... Все э́ти разгово́ры про я́хты и ви́ллы на Майо́рке. Бог с ва́ми, вокру́г огляни́тесь. Я о́чень уве́рен в карти́не «12». Не в успе́хе. А в том, что она́ должна́ заде́ть. Е́сли не заде́нет, то совсе́м беда́...

22-6 | Напишите рецензию на ваш любимый фильм. Данные ниже вопросы помогут вам.

1. В каком жанре (комедия, приключенческий фильм, детектив, фильм ужасов и т. д.) снят фильм?
2. Кто режиссёр? Какие ещё фильмы он/а снимал/а?
3. Какие актёры играют главные роли?
4. Где происходит действие?
5. С чего фильм начинается?
6. Чем он заканчивается?
7. Есть ли в фильме трюки и спецэффекты (специальные эффекты)?
8. Какое впечатление фильм произвёл на вас?

22-7 | Прочитайте рецензию на повесть Виктории Токаревой «Я есть. Ты есть. Он есть».

Я есть. Ты есть. Он есть

По́вести и расска́зы Викто́рии То́каревой напо́лнены жи́знью. Когда́ чита́ешь её произведе́ния, создаётся впечатле́ние, что всё э́то происхо́дит в сосе́днем до́ме, что у люде́й про́сто нет занаве́сок на о́кнах и ты, сидя́ ве́чером у окна́, изуча́ешь их жизнь, наблюда́ешь и вгля́дываешься в их су́дьбы. По́весть «Я есть. Ты есть. Он есть» – одно́ из тех произведе́ний, в кото́ром так иску́сно сплета́ются жи́зненность и необы́чность.

Гла́вной герои́ней явля́ется А́нна, сорокапятиле́тняя же́нщина, и чита́тель ви́дит мир её глаза́ми, хотя́ То́карева пи́шет от тре́тьего лица́. А́нна преподаёт францу́зский язы́к в шко́ле: je suit, tu est, il est. Я есть. Ты есть. Он есть. По́сле сме́рти му́жа в её жи́зни никого́ не оста́лось, кро́ме сы́на Оле́га. Неожи́данно, не сказа́в ма́тери, Оле́г же́нится и приво́дит жену́ в дом. Появле́ние И́рочки, ма́ленькой, хру́пкой и хоро́шенькой, разруша́ет установи́вшиеся в до́ме тради́ции. Ре́вность ослепля́ет А́нну. Оле́г тще́тно пыта́ется примири́ть люби́мых же́нщин, но в конце́ концо́в, И́рочка собира́ет чемода́ны и ухо́дит. За ней ухо́дит Оле́г. Одна́ко через не́которое вре́мя Оле́г возвраща́ется уби́тый го́рем. И́рочка попа́ла в ава́рию и ста́ла инвали́дом. Она́ нужда́ется в серьёзном лече́нии. Оле́г про́сит А́нну помо́чь. А́нна уха́живает за И́рочкой, и постепе́нно жена́ сы́на, така́я ненави́стная, ста́новится для А́нны са́мым бли́зким и родны́м существо́м.

Э́та по́весть о же́нщине, поже́ртвовавшей свое́й жи́знью ра́ди друго́го челове́ка, заставля́ет заду́маться о самопоже́ртвовании. Характе́рной осо́бенностью по́вести явля́ется то, что в ней нет идеа́льно положи́тельного и́ли абсолю́тно отрица́тельного геро́я. Геро́и многогра́нны и неоднозна́чны. То́карева даёт возмо́жность чита́телю посмотре́ть на происходя́щее глаза́ми и А́нны, и Оле́га, и И́рочки.

По́весть конча́ется оптимисти́чно, хотя́ и нея́сно, что бу́дет с геро́ями да́льше.

22-8 | Прочитайте рецензию в 22-7 ещё раз и напишите план текста в форме утверждений.

22-9 | Прочитайте рецензию в 22-7 третий раз и выпишите ключевые слова к каждому пункту вашего плана.

22-10 | Напишите изложение текста в 22-7, используя составленный вами план и ключевые слова.

22-11 | Напишите рецензию на книгу, которую вы прочитали. Используйте следующий план.

1. Книга, которую я прочитал(а), называется...
2. Это... (роман, рассказ, повесть, биография, автобиография и т. д.).
3. Жанр: ... (исторический роман, детектив, научная фантастика, приключенческий роман и т. д.).
4. Действие происходит... (где?) и ... (когда: в наше время, в 19-ом веке, в начале 20-ого века, в 50-ые годы ... века, в Средние века, в древние времена).

5. Эта книга о...
6. Действие начинается с того, что...
7. Главный герой / главная героиня...
8. Коротко расскажите о том, что происходит.
9. Книга заканчивается тем, что...
10. Объясните, почему книга вам понравилась или не понравилась и что произвело на вас сильное впечатление.
11. Посоветуйте, стоит ли читать эту книгу.

ПРАВОПИСАНИЕ И ПУНКТУАЦИЯ

22-12 | Повторение. Впишите правильные буквы.

Св_ю (а/о) рец_нзию (э/е) я реш_л (ы/и) написать на рас_каз (-/с) Василия Макаровича Шукшина «Срезал», к_торый (а/о) был написан в 1970 году. Я знаком с Шукшиным-актёром, я видел мног_ (а/о) фил_мов (-/ь) с е_о (в/г) участием. Также Шукшин был мне инт_ресен (е/и) как режи_сёр (-/с). Мне запомнились такие известные е_о (в/г) фильмы, как «Калина красная», «Печ_ки-лавочки» (-/ь). Василий Шукшин был известен и как зам_чательный (е/и) писател_ (-/ь). Им написаны два р_мана (а/о), шест_ (-/ь) п_вестей (а/о) и много ра_сказов (-/с).

В рас_казе (-/с) «Срезал» автор поднимает пер_д (е/и) ч_тателем (е/и) тему соц_альной (ы/и) демагогии. Простой д_ревенский (е/и) муж_к (ы/и) Глеб Капустин, реш_вший (ы/и), что он ж_вёт (ы/и) хуж_ (е/и) других и обделён возможностью _делать (с/з) свою ж_знь (ы/и) луч_ше (-/ь), мстит за _то (э/е) людям, которые выш_ (е/и) его по соц_альному(ы/и) статусу (полковник, профессор). В действительности эти люди не имеют н_какого (е/и) отношения к его ж_зни (ы/и). Глеб н_как (е/и) не может понять, что для того, чтобы добит_ся (-/ь) чего-то в ж_зни (ы/и), необходимо пр_ложить (е/и) усилия.

В одном и_ (з/с) своих интерв_ ю (-/ь) Василий Макарович Шукшин сказал, что из своего _борника (з/с) «Характеры» он выделяет расска_ (з/с) «Срезал». И с ним н_льзя (е/и) не согласит_ся (-/ь). Рассказ оч_нь (е/и) своеобразен. Логика главно_о (в/г) героя Глеба Капустина подталкивает на размышления. Такие герои, как Глеб Капустин, пр_дают (е/и) яркость, непохож_сть (э/е) произведениям Василия Макаровича Шукшина. Рассказ «Срезал» написан доступным языком, он понятен любому читателю. Этот очень неб_льшой (а/о) по об_ёму (ъ/ь) рассказ пр_извёл (а/о) на м_ня (е/и) неизгладимое вп_чатление (е/и). Тема, идея, проблемы, которые подняты в рассказе, не могут _ставить (а/о) равнодушным н_ (е/и) одно_о (в/г) читателя.

22-13 | Повторение. Расставьте знаки препинания.

Не́ было ещё ни одного́ росси́йского фи́льма о кото́ром мне не приходи́лось бы слы́шать отрица́тельных о́тзывов Да́же популя́рные и дорогу́щие блокба́стеры обяза́тельно у кого́-то вызыва́ют негати́вные эмо́ции Тем не ме́нее о «Пи́тер FM» с са́мого его́ вы́хода и до сего́дняшнего дня абсолю́тно ра́зные лю́ди с кото́рыми я обща́юсь отзыва́лись то́лько положи́тельно При э́том никто́ то́лком не говори́л чем же впечатли́ла и пора́довала его́ э́та исто́рия из жи́зни замеча́тельного го́рода

Петербу́рг Го́род в кото́ром я уже́ давно́ мечта́ю побыва́ть В фи́льме он игра́ет далеко́ не после́днюю роль На фо́не у́лиц и домо́в неспе́шно развора́чиваются собы́тия кото́рые могли́ бы произойти́ и в Москве́ и в Ки́еве но и́менно Пи́тер добавля́ет происходя́щему како́й-то неповтори́мый шарм.

Ма́ша рабо́тает на ра́дио у неё бога́тый жени́х и приближа́ющаяся сва́дьба Макси́м рабо́тает дво́рником собира́ется уе́хать в Герма́нию расстаётся со свое́й подру́гой Ма́ша теря́ет моби́льный Макси́м его́ нахо́дит Э́та ме́лочь свя́жет их и вероя́тно подска́жет вы́ход из сло́жных жи́зненных ситуа́ций

Согласи́тесь что э́то бана́льная романти́ческая исто́рия Так чем же э́тот фильм мо́жет понра́виться практи́чески всем кто его́ ви́дел Именно э́той преде́льной простото́й Жи́зненностью Тако́е действи́тельно мо́жет случи́ться с ка́ждым и э́то цепля́ет

Создаётся тако́е впечатле́ние, что молоды́е актёры игра́ют сами́х себя́. Возмо́жно э́то и́з-за того́ что материа́л для игры́ не о́чень сло́жный Ну и ла́дно Зато́ вы́глядит всё о́чень правдоподо́бно

Что ещё порази́ло так э́то подбо́р музыка́льного сопровожде́ния Оди́н из лу́чших саундтре́ков кото́рые мне доводи́лось встреча́ть в ру́сском кино́

Уста́л хвали́ть Вот то́лько не сказа́ть об опера́торской рабо́те бы́ло бы совсе́м непра́вильно Панора́мы го́рода то́лпы наро́ду лета́ющий змей Мно́жество моме́нтов запо́мнилось и́менно и́з-за того́ что они́ необы́чно пока́заны бу́дто вы́рваны ру́чной ка́мерой из каждодне́вной жи́зни

Приложение 1

Самоконтроль: задания и ключи

КОНТРОЛЬ ПОСЛЕ ГЛАВ 1–5

Задание 1. Правописание. Впишите пропущенные буквы.

1) ч_й (а/я)
2) здоров е (-/ь)
3) желат_ (-/ь)
4) здес_ (-/ь)
5) ужинат_ (-/ь)
6) трет_я (-/ь)
7) ш_рокий (ы/и)
8) _то (ч/ш)
9) очен_ (-/ь)
10) мо_ мама (я/йа)
11) се_одня (в/г)
12) прощ_ть (а/я)
13) (я) танцу (йу/ю)
14) _зыки (йа/я)
15) _астливый (щ/сч)
16) меньш_ (э/е)
17) ноч_ (-/ь)
18) мяч_ (-/ь)
19) ч_до (у/ю)
20) _гурт (ё/йо)
21) уважат_ (-/ь)
22) об_яснение (ь/ъ)
23) неож_данно (ы/и)
24) друз я (-/ь)
25) коне_но (ч/ш)
26) сообщ_ть (ы/и)
27) ч_шка (а/я)
28) с_есть (ь/ъ)
29) му_ина (щ/жч)
30) ч_вства (у/ю)
31) 8 ч_сов (а/я)
32) ключ_ (-/ь)
33) доч_ (-/ь)

Задание 2. Пунктуация и орфография. Впишите пропущенные буквы. Расставьте знаки препинания. Подчеркните слова, которые необходимо писать с большой буквы.

Моя биография

1) м_ня (е/и) з_вут (а/о) наташа
2) я р_дилась (а/о) и выр_сла (а/о) в замечательном городке ильичёвск, недалеко от одессы

3) мо_ (йа/я) мама р_ботала (а/о) инженером, папа был р_бочий (а/о) в п_рту (а/о)
4) как и б_льшинство (а/о) д_тей (е/и), я ходила в детский сад
5) ходить туда я оч_нь (е/и) не любила
6) в школу я пошла как и большинство детей в 7 лет
7) читать и _итать (сч/щ) я умела довольно хор_шо (а/о) и ходить в школу мне нравилось
8) как я окончила школу
9) хорошо, все_о (в/г) с одной четвёркой
10) _то (ч/ш) было дальше
11) я п_ступила (а/о) в одесский университет на факультет биологии
12) университете я п_знакомилась (а/о) с парнем, которо_о (в/г) звали александр
13) теперь он мой муж
14) в прошлом году у нас р_дился(а/о) сын дима
15) мы очен_(-/ь) _астливы (сч/щ) вместе

КОНТРОЛЬ ПОСЛЕ ГЛАВ 6-10

Задание 3. Правописание. Впишите пропущенные буквы.

1) ц_тата (ы/и)
2) ключ_м (о/ё)
3) бе_платно (з/с)
4) ц_фра (ы/и)
5) здра_ствуй (в/-)
6) _десь (з/с)
7) груп_ а (п/-)
8) гор_д (а/о)
9) ц_ган (ы/и)
10) ра_сказать (з/с)
11) (с) Даш_й (о/е)
12) революц_я (ы/и)
13) заво_ (д/т)
14) суб_ота (б/-)
15) с_бака (а/о)
16) (в) Япони_ (е/и)
17) _делать (з/с)
18) лес_ница (т/-)
19) итальянц_ (ы/и)
20) _доровый (з/с)
21) р_ботать (а/о)
22) хок_ей (к/-)
23) в_да (а/о)
24) (идти) улиц_й (о/е)
25) ж_на (е/и)
26) хол_д (а/о)
27) карандаш_м (о/е)

28) ра_бить (з/с)
29) наоб_рот (а/о)
30) с_стра (е/и)
31) дру_ (к/г)
32) хоб_и (б/-)
33) х_рошо (а/о)
34) кор_тко (а/о)
35) (в) Сибир_ (е/и)

Задание 4. Прочитайте предложения и расставьте знаки препинания.

1. Моя подруга Леся очень красивая весёлая и умная.
2. Мы учились в одной группе в университете когда мы с ней познакомились.
3. Мы учились на экономическом факультете потому что и Лесе и мне нравилось банковское дело.
4. Конечно это не просто учиться на экономическом факультете но зато очень интересно.
5. Кстати мой отец главный бухгалтер на крупном заводе а мой прадед был успешным банкиром.
6. А Лесины родители работают в банке «Аваль» где мы может быть тоже будем работать когда окончим университет.
7. Вы спросите почему?
8. Лесин папа директор банка «Аваль»!
9. Чтобы поступить в университет нам надо было сдать экзамены.
10. Самым сложным экзаменом была разумеется математика.
11. А вот сочинение по русскому языку я написала без проблем потому что тема была лёгкой.
12. У нас с Лесей много общих интересов. Так например мы вместе ходим на йогу.
13. Кроме того мы увлекаемся всякими диетами.
14. С одной стороны диета это хорошее дело!
15. Но с другой стороны диета это ужас!
16. Особенно те диеты при которых запрещается есть практически всё.
17. А вообще хорошо иметь друзей!

КОНТРОЛЬ ПОСЛЕ ГЛАВ 11–15

Задание 5. Впишите, где надо, пропущенные буквы.

1) (ты) пишеш_ (-/ь) 2) оканчиват_ся (-/ь) 3) (лекция) оканчивает_ся (-/ь) 4) встан_те (-/ь) 5) (он) учит_ся (-/ь) 6) праздноват_ (-/ь) 7) (ты) празднуеш_ (-/ь) 8) переписыват_ся (-/ь) 9) (они) переписывают_ся (-/ь) 10) работат_ (-/ь) 11) (ты) работаеш_ (-/ь) 12) сяд_те (-/ь) 13) садит_ся (-/ь) 14) (он) садит_ся (-/ь) 15) научит_ (-/ь) 16) научис_ (-/ь)

Задание 6. Впишите пропущенные буквы или дефис, где надо.

1. Мне н_зачем (е/и) учить китайский язык, потому что я н_когда (е/и) н_ (е/и) поеду в Китай. 2. Он отличн_ (а/о) говорит по французски, лучш_ (е/и) всех нас! 3. Я н_когда (е/и) н_кому (е/и) не пишу письма, и мне н_кто (е/и) н_ (е/и) пишет. 4. На занятиях п_ (а/о) истории вс_гда (е/и) интересне_ (е/и), чем на занятиях п_ (а/о) математике! 5. Я когда нибудь выучу японский язык. 6. По моему, сначал_ (а/о) надо окончить институт, а п_том (а/о) искать работу. 7. А мне прост_ (а/о) н_кому (е/и) писать, так как у меня нет друзей. 8. А Лене прост_ (а/о) н_ (е/и) с кем поговорить! Она н_кого (е/и) здесь не знает. 9. Давай как нибудь поговорим _б этом (а/о), но только не с_йчас (е/и). 10. Ты можешь поработать с_годня (е/и) вмест_ (а/о) меня?

Задание 7. Пунктуация. Прочитайте предложения и расставьте знаки препинания.

1. Лена почему ты не пришла на мой день рождения? 2.Праздник удался пришло много гостей и было весело. 3. В нашей семье мы всегда отмечаем Новый год и родители дарят мне подарки. 4. Я пропустила занятия в университете из-за того что моя мама тяжело заболела и я должна была за ней ухаживать. 5. Людмила работает в школе с тех пор как она окончила педагогический университет. 6. Ищу работу преподавателя французского языка 40 лет высшее образование работу в турагентстве не предлагать. 7. Мы с Мариной решили пожениться после того как я окончу университет и найду работу. 8. Ольга Евгеньевна благодаря чему вы так быстро выучили английский язык? 9. Вы не знаете придёт ли Тамара сегодня на работу?

КОНТРОЛЬ ПОСЛЕ ГЛАВ 16-19

Задание 8. Впишите пропущенные буквы.

1. Виктор вчера пр_летел (е/и) в Иркутск на сам_лёте (а/о) и пр_вёз (е/и) книги, которые ты просил.
2. «Как д_ехать (а/о) д_ (а/о) центра?» – «Пое__айте (ж/зж) прямо, а потом налево».
3. Жарко! Пр_откройте (е/и) окно, пожалуйста.
4. Вы п_йдёте (а/о) в кино сегодня?
5. Мама п_речитывала (е/и) мне сказку «Царевна-лягушка» пять раз.
6. Матвей п_лучил (а/о) работу и п_реехал (е/и) в Астрахань.
7. П_смотри (а/о) на меня! Почему ты пр_пустил (а/о) занятие и не _делал (з/с) домашнее задание?
8. Давай _бсудим (а/о) этот вопрос завтра.
9. Мне сложно пр_дсказать (е/и), чем это всё закончится.
10. Во сколько вы вчера с_брались (а/о)? А во сколько ра_ошлись (з/с)?
11. Верочка просто пр_красный (е/и) человек!
12. _тойди (А/О) от меня, я не хочу с тобой разговаривать!
13. П_читай (а/о) мне эту сказку!

Задание 9. Расставьте знаки препинания (в том числе кавычки), где надо.

1. В воскресенье я приготовлю праздничный ужин потому что у бабушки день рождения ей исполнится 80 лет!
2. Вы смотрели фильм Питер FM ?
3. А. Чехов писал: Какое это огромное счастье любить и быть любимым.
4. В прошлом году мы летали в Австралию и были там два месяца январь и февраль.
5. Рита живёт в центре Киева на улице Пушкинской.
6. Любовь сильнее смерти и страха смерти писал И. Тургенев.
7. Сергей работает в банке Аваль а Татьяна – в Петербургском университете.
8. Ф. Достоевский писал что мир спасёт красота.

ЗАКЛЮЧИТЕЛЬНЫЙ КОНТРОЛЬ

Задание 10. Прочитайте текст, впишите пропущенные буквы, выберите правильный вариант написания.

Карен Шахназаров
Курьер
(отрывок)

Не так давно я случайно услышал _дну (а/о) любопытную радиопередачу. Корреспондент _станавливал (а/о) на улице прохож_х (ы/и) и задавал всем один и (тот же / тотже) вопрос: «Если бы вам пришлось писать мемуары, о чём вы (хотели бы/ хотелибы) в них ра_сказать (з/с)?» Ответы, разумеется, были разными. Одни ра_сказывали (з/с) ц_лые (е/э) истории, другие _тделывались (а/о) анекдотами. Мне больше все_о (в/г) запомнился ответ одно_о (в/г) старика. Сначал_ (а/о) он сказал: «Мне н_чего (е/и) писать в мемуарах. У меня н_чего (е/и) н_ (е/и) было». Корреспондент удивился и (не поверил / неповерил): «Не мож_т (е/э) быть! Вы человек в возрасте. Наверняка многое видели и сами участвовали в_ (а/о) многих ист_рических (а/о) событиях. Неужели в ваш_м (е/э) прошлом нет н_чего (е/и), что ж_во (ы/и) волновало бы вас с_йчас (е/и)?» Старик задумался и сказал: «Знаете, много-мног_ (а/о) лет назад я был влюблён в девушку. Мне тогда было пятнадцат_ (-/ь) лет, а ей, каж_тся (е/э), вос_мнадцать (е/и). Мы ж_ли (и/ы) в одном доме и част_ (а/о) встр_чались (е/и) в нашем дв_ре (а/о). Я всё время х_тел (а/о) заговорить с ней и познакомит_ся (-/ь), но н_как (е/и) не решался... А п_том (а/о) она с сем_ёй (-/ь) уехала, и я больше никогда (не видел / невидел) её. Вот _б (а/о) этой девушке я и вспомина_ (йу/ю) т_перь больше все_о (в/г). Об этом, пожалуй, я (написал бы / написалбы). И может быть, добавил бы сюда н_много (е/и) н_чего (е/и) не значащих разговоров с нескол_кими (-/ь) давно забытыми люд_ми (-/ь). Но разве это интересно (кому-нибудь / кому нибудь)?» – «Отчего же?! Очень интересн_ (а/о)», – сказал корреспондент, но в гол_се (а/о) его пряталос_ (-/ь) раз_чарование (а/о).

Задание 11. Прочитайте и расставьте знаки препинания.

Карен Шахназаров
Курьер
(отрывок)

Мои родители развелись когда мне было четырнадцать лет. До этого у нас была как говорят идеальная семья. Родители педагоги работали в одной школе я там же учился. Не помню чтобы они когда-нибудь ссорились. Отец называл маму умнейшей женщиной она говорила что он очень добрый человек. Он был действительно добрым но немного увлекающимся. Он увлекался футболом хоккеем коллекционированием шариковых ручек кроссвордами шахматами цветоводством рыболовством и наконец увлёкся новой учительницей пения которая пришла в нашу школу сразу после окончания института. Это его последнее увлечение оказалось роковым для нашей семьи. Полгода она (семья) ещё агонизировала а потом скончалась. Её смерть засвидетельствовал народный суд Дзержинского района. Я отлично запомнил тот роскошный зимний день снег падал пушистыми хлопьями ослепительно сияло солнце. Несмотря на такой подвох со стороны природы мои родители держались великолепно. Они конечно сильно нервничали но никак не выказывали этого и были настолько корректны и милы друг с другом что судья сначала решил будто они ошиблись адресом потому что расписывали[21] в соседнем доме. Недоразумение было быстро улажено и потом всё пошло как по маслу. Когда бракоразводная процедура закончилась и мы очутились на улице мама с вежливой улыбкой попрощалась с отцом за руку и объявила что зайдёт в магазин а потом подождёт меня у метро.

Мне очень жаль старина что так получилось сказал отец когда она ушла.

Никаких проблем папа сказал я.

Надеюсь мы будем видеться как можно чаще? сказал он.

Разумеется папа сказал я.

Кажется он был удовлетворён. В этот момент из-за угла появилась та самая учительница пения благодаря которой и случился весь сыр-бор и заспешила к отцу. Однако заметив рядом с ним меня она остановилась и в смущении отвернула лицо в сторону. Ей было не больше двадцати трёх лет… Высокая стройная длинноногая с мягкими белокурыми волосами и прозрачно-

[21] Расписывать – регистрировать брак.

голубыми глазами. Она мне нравилась несмотря ни на что. Конечно обидно было за маму но я мог понять и отца.

КЛЮЧИ К ЗАДАНИЯМ

Задание 1

1) чай
2) здоровье
3) желать
4) здесь
5) ужинать
6) третья
7) широкий
8) что
9) очень
10) моя мама
11) сегодня
12) прощать
13) (я) танцую
14) языки
15) счастливый
16) меньше
17) ночь
18) мяч
19) чудо
20) йогурт
21) уважать
22) объяснение
23) неожиданно
24) друзья
25) конечно
26) сообщить
27) чашка
28) съесть
29) мужчина
30) чувства
31) 8 часов
32) ключ
33) дочь

Задание 2

Моя биография

1. Меня зовут Наташа. 2. Я родилась и выросла в замечательном городке Ильичёвск, недалеко от Одессы. 3. Моя мама работала инженером, папа был рабочий в порту. 4. Как и большинство детей, я ходила в детский сад. 5. Ходить туда я очень не любила. 6. В школу я пошла, как и большинство детей, в 7 лет. 7. Читать и считать я умела довольно хорошо, и ходить в школу мне нравилось. 8. Как я окончила школу? 9. Хорошо, всего с одной четвёркой. 10. Что было дальше? 11. Я поступила в Одесский университет на факультет биологии. 12. В университете я познакомилась с парнем, которого звали Александр. 13. Теперь он мой муж. 14. В прошлом году у нас родился сын Дима. 15. Мы очень счастливы вместе.

Задание 3

1) цитата
2) ключом
3) бесплатно
4) цифра
5) здравствуй
6) здесь
7) группа
8) город
9) цыган
10) рассказать
11) (с) Дашей
12) революция
13) завод
14) суббота
15) собака
16) (в) Японии
17) сделать
18) лестница
19) итальянцы
20) здоровый
21) работать
22) хоккей
23) вода
24) (идти) улицей
25) жена
26) холод
27) карандашом
28) разбить
29) наоборот
30) сестра
31) друг
32) хобби
33) хорошо
34) коротко
35) (в) Сибири

Задание 4

1. Моя подруга Леся очень красивая, весёлая и умная.
2. Мы учились в одной группе в университете, когда мы с ней познакомились.
3. Мы учились на экономическом факультете, потому что и Лесе, и мне нравилось банковское дело.
4. Конечно, это не просто – учиться на экономическом факультете, но зато очень интересно.
5. Кстати, мой отец – главный бухгалтер на крупном заводе, а мой прадед был успешным банкиром.
6. А Лесины родители работают в банке «Аваль», где мы, может быть, тоже будем работать, когда окончим университет.
7. Вы спросите почему?
8. Лесин папа – директор банка «Аваль»!
9. Чтобы поступить в университет, нам надо было сдать экзамены.
10. Самым сложным экзаменом была, разумеется, математика.
11. А вот сочинение по русскому языку я написала без проблем, потому что тема была лёгкой.
12. У нас с Лесей много общих интересов. Так, например, мы вместе ходим на йогу.
13. Кроме того, мы увлекаемся всякими диетами.
14. С одной стороны, диета – это хорошее дело!
15. Но, с другой стороны, диета – это ужас!
16. Особенно те диеты, при которых запрещается есть практически всё.
17. А вообще, хорошо иметь друзей!

Задание 5

1) (ты) пишешь
2) оканчиваться
3) (лекция) оканчивается
4) встаньте
5) (он) учится
6) праздновать
7) (ты) празднуешь
8) переписываться
9) (они) переписываются
10) работать
11) (ты) работаешь
12) сядьте
13) садиться
14) (он) садится
15) научить
16) научись

Задание 6

1. Мне незачем учить китайский язык, потому что я никогда не поеду в Китай.
2. Он отлично говорит по-французски, лучше всех нас!
3. Я никогда никому не пишу письма, и мне никто не пишет.
4. На занятиях по истории всегда интереснее, чем на занятиях по математике!
5. Я когда-нибудь выучу японский язык.
6. По-моему, сначала надо окончить институт, а потом искать работу.
7. А мне просто некому писать, так как у меня нет друзей.
8. А Лене просто не с кем поговорить! Она никого здесь не знает.
9. Давай как-нибудь поговорим об этом, но только не сейчас.
10. Ты можешь поработать сегодня вместо меня?

Задание 7

1. Лена, почему ты не пришла на мой день рождения?
2. Праздник удался: пришло много гостей и было весело.
3. В нашей семье мы всегда отмечаем Новый год, и родители дарят мне подарки.
4. Я пропустила занятия в университете, из-за того что моя мама тяжело заболела и я должна была за ней ухаживать.
5. Людмила работает в школе, с тех пор как она окончила педагогический университет.
6. Ищу работу преподавателя французского языка, 40 лет, высшее образование, работу в турагентстве не предлагать.
7. Мы с Мариной решили пожениться, после того как я окончу университет и найду работу.

8. Ольга Евгеньевна, благодаря чему вы так быстро выучили английский язык?
9. Вы не знаете, придёт ли Тамара сегодня на работу?

Задание 8

1. Виктор вчера прилетел в Иркутск на самолёте и привёз книги, которые ты просил.
2. «Как доехать до центра?» – «Поезжайте прямо, а потом налево».
3. Жарко! Приоткройте окно, пожалуйста.
4. Вы пойдёте в кино сегодня?
5. Мама перечитывала мне сказку «Царевна-лягушка» пять раз.
6. Матвей получил работу и переехал в Астрахань.
7. Посмотри на меня! Почему ты пропустил занятие и не сделал домашнее задание?
8. Давай обсудим этот вопрос завтра.
9. Мне сложно предсказать, чем это всё закончится.
10. Во сколько вы вчера собрались? А во сколько разошлись?
11. Верочка просто прекрасный человек!
12. Отойди от меня, я не хочу с тобой разговаривать!
13. Почитай мне эту сказку!

Задание 9

1. В воскресенье я приготовлю праздничный ужин, потому что у бабушки день рождения, ей исполнится 80 лет!
2. Вы смотрели фильм «Питер FM»?
3. А. Чехов писал: «Какое это огромное счастье – любить и быть любимым».
4. В прошлом году мы летали в Австралию и были там два месяца, январь и февраль.
5. Рита живёт в центре Киева, на улице Пушкинской.
6. «Любовь сильнее смерти и страха смерти», – писал И. Тургенев.
7. Сергей работает в банке «Аваль», а Татьяна – в Петербургском университете.
8. Ф. Достоевский писал, что мир спасёт красота.

Задание 10

Карен Шахназаров
Курьер
(отрывок)

Не так давно я случайно услышал одну любопытную радиопередачу. Корреспондент останавливал на улице прохожих и задавал всем один и тот же вопрос: «Если бы вам пришлось писать мемуары, о чём вы хотели бы в них рассказать?» Ответы, разумеется, были разными. Одни рассказывали целые истории, другие отделывались анекдотами. Мне больше всего запомнился ответ одного старика. Сначала он сказал: «Мне нечего писать в мемуарах. У меня ничего не было». Корреспондент удивился и не поверил: «Не может быть! Вы человек в возрасте. Наверняка многое видели и сами участвовали во многих исторических событиях. Неужели в вашем прошлом нет ничего, что живо волновало бы вас сейчас?» Старик задумался и сказал: «Знаете, много-много лет назад я был влюблён в девушку. Мне тогда было пятнадцать лет, а ей, кажется, восемнадцать. Мы жили в одном доме и часто встречались в нашем дворе. Я всё время хотел заговорить с ней и познакомиться, но никак не решался... А потом она с семьёй уехала, и я больше никогда не видел её. Вот об этой девушке я и вспоминаю теперь больше всего. Об этом, пожалуй, я написал бы. И может быть, добавил бы сюда немного ничего не значащих разговоров с несколькими давно забытыми людьми. Но разве это интересно кому-нибудь?» – «Отчего же?! Очень интересно», – сказал корреспондент, но в голосе его пряталось разочарование.

Задание 11

Карен Шахназаров
Курьер
(отрывок)

Мои родители развелись, когда мне было четырнадцать лет. До этого у нас была, как говорят, идеальная семья. Родители-педагоги работали в одной школе, я там же учился. Не помню, чтобы они когда-нибудь ссорились. Отец называл маму «умнейшей женщиной», она говорила, что он «очень добрый человек». Он был действительно добрым, но немного увлекающимся. Он увлекался футболом, хоккеем, коллекционированием шариковых ручек, кроссвордами, шахматами, цветоводством, рыболовством и, наконец, увлёкся новой учительницей пения, которая пришла в нашу школу сразу после окончания института. Это его последнее увлечение оказалось роковым для нашей семьи. Полгода она (семья) ещё агонизировала, а потом скончалась. Её смерть засвидетельствовал народный суд Дзержинского района. Я отлично запомнил тот роскошный зимний день: снег падал пушистыми хлопьями, ослепительно сияло солнце. Несмотря на такой подвох со стороны природы, мои родители держались великолепно. Они, конечно, сильно нервничали, но никак не выказывали этого и были настолько корректны и милы друг с другом, что судья сначала решил, будто они ошиблись адресом, потому что расписывали в соседнем доме. Недоразумение было быстро улажено, и потом всё пошло как по маслу. Когда бракоразводная процедура закончилась и мы очутились на улице, мама с вежливой улыбкой попрощалась с отцом за руку и объявила, что зайдёт в магазин, а потом подождёт меня у метро.

– Мне очень жаль, старина, что так получилось, – сказал отец, когда она ушла.

– Никаких проблем, папа, – сказал я.

– Надеюсь, мы будем видеться как можно чаще? – сказал он.

– Разумеется, папа, – сказал я.

Кажется, он был удовлетворён. В этот момент из-за угла появилась та самая учительница пения, благодаря которой и случился весь сыр-бор, и заспешила к отцу. Однако, заметив рядом с ним меня, она остановилась и в смущении отвернула лицо в сторону. Ей было не больше двадцати трёх лет... Высокая, стройная, длинноногая, с мягкими белокурыми волосами и прозрачно-голубыми глазами. Она мне нравилась, несмотря ни на что. Конечно, обидно было за маму, но я мог понять и отца.

Приложение 2

Повторение: организация текста, правописание и пунктуация

Шпаргалка 1. Средства организации текста

Способы связи предложений	
Способы связи	**Примеры**
С помощью местоимений	У меня была подруга, с которой я дружила много лет. Её звали Маша. Она была такой красивой, весёлой, всегда шутила!
С помощью повтора слов	Мы дружим с ней с 5-го класса. Мы даже чем-то похожи и внешне, и по характеру.
С помощью синонимов и синонимичных выражений	Галя вышла замуж, и у неё родилась дочка Дашечка. Своей малышке Галя посвящает всё своё время.

Средства связи элементов текста	
Последовательность информации	прежде всего, кроме того, далее, наконец, итак, между прочим, в общем, в частности, главное, во-первых, во-вторых, с одной стороны, с другой стороны, в то время как, после того как, перед тем как, с тех пор как, благодаря тому что, для того чтобы, сначала, потом, одновременно, в то же время, в дальнейшем
Присоединение информации	также, тоже, кроме того, при этом, ещё, кстати, более того
Противопоставление и сопоставление информации	но, однако, напротив, в отличие от

Пояснение и уточнение информации	то есть, иными словами, точнее говоря, причём, особенно, ведь
Иллюстрация, уточнение	например, особенно
Уверенность/ неуверенность	конечно, разумеется, наверное, возможно, может, может быть, кажется, правда
Вывод	словом, вообще, в общем

Выражение совета, согласия/несогласия, точки зрения; аргументация	
Выражение совета	Я вам советую... (не беспокоиться, поговорить с ним, подождать...); Лучше всего подумать о том, (что, как, почему...); Не стоит так переживать, со временем...; Я бы посоветовала вам...
Выражение согласия	Я согласен с мнением (кого?) / точкой зрения (кого?); Я полностью разделяю точку зрения (кого?); Можно согласиться с (кем? / чем?)...
Выражение несогласия	В целом я согласен с автором текста, однако...; Не во всём можно согласиться с автором текста...; У меня другая точка зрения на это; Однако у меня другое мнение; Как раз наоборот,...
Выражение точки зрения	Я считаю, что...; По моему мнению...; По-моему...
Аргументация точки зрения	Можно привести такой пример...; Мой довод заключается в том, что...; Доказательством этой мысли может служить тот факт, что ...; Для доказательства своей позиции я хочу привести следующие аргументы. Во-первых... Во-вторых... В-третьих...; Что и доказывает мою точку зрения...

Шпаргалка 2. Правила правописания

№	Правило	Примеры	Главы
1.	После Ж, Ш, Щ, Ч пишется только И, А, У, Е.	жить, шить, щипать, часто, чувство, (я) учу	2, 3, 4
2.	С большой буквы пишутся: имена собственные, первое слово в названиях книг, фильмов, рассказов, организаций и т. п. С маленькой буквы пишутся: дни недели, названия месяцев и языков	Анна, город Киев, кошка Муся, роман «Война и мир» понедельник, май, русский, китайский	2, 4
3.	Перед Е, Ё, Ю, Я, И пишется Ь, чтобы разделить согласные и гласные.	семья, (я) пью (он) бьёт	3
4.	После приставок на согласный перед Е, Ё, Я, Ю пишется Ъ.	съесть, объявление	4
5.	Никогда не пишите ЙА, ЙЭ, ЙО, ЙУ, пишите Я, Е, Ё, Ю. Исключения: йога, йогурт и др.	Юля, ёлка, яблоко	4
6.	На конце слов после Ж, Ш, Щ, Ч пишется Ь в существительных женского рода, а в существительных мужского рода Ь не пишется.	ночь, ложь, нож, плащ	5
7.	В сочетаниях ЧК, ЧН, ЧТ, НЧ, ЧТ, СЧ, ЖЧ мягкий знак не пишется.	что, речка, конечно, мужчина	5
8.	После Ц пишется И в корнях слов и в существительных на -ЦИЯ. Исключения: цыган, цыплёнок, цыц, на цыпочках. В окончаниях множественного числа пишется Ы.	цифра, конференция, немцы	6

9.	После Ж, Ш, Щ, Ч в окончаниях пишется О под ударением и Е без ударения.	(с) отцóм, (с) Натáшей	6
10.	Звонкие согласные на конце слова и перед глухой согласной оглушаются. Их надо проверять при помощи однокоренных слов или изменением формы слова так, чтобы после согласной стояла гласная или Л, М, Н, Р.	сад (садовник, садик), зуб (зубной, зубы)	7
11.	Приставки БЕЗ-, РАЗ-, ВЗ-, ВОЗ- пишутся перед гласными, звонкими согласными и перед Л, М, Н, Р. Приставки БЕС-, РАС-, ВС-, ВОС-, ИС- пишутся перед глухими согласными.	разобраться, взбираться, испугаться, рассмеяться	8
12.	Слова с удвоенными согласными надо запомнить и проверять по словарю.	хобби, хоккей, группа, класс, суббота, рассказ	8
13.	Безударные гласные в корне слова проверяются при помощи однокоренных слов или изменением формы слова. Исключение: корни с чередованием гласных.	моря́ – мóре, семья́ – сéмьи, боли́т – бóль	9
14.	Сочетания -ОРО-, -ОЛО-.	город, хорошо, холод	10
15.	В глагольных формах всегда пишется мягкий знак в инфинитиве (-ТЬ, -ТЬСЯ), на конце формы второго лица (-ШЬ), в возвратной частице -СЬ, в повелительном наклонении после согласной.	читать, двигаться, (ты) пишешь, читаешь, (я) вернусь, исправь, исправьте	11

16.	НЕ с глаголами всегда пишется раздельно. Исключение: ненавидеть.	(я) не знаю, не хочу	12
17.	В отрицательном предложении может быть только одно НЕ, остальные – НИ.	Я не знаю ничего.	12
18.	В отрицательных местоимениях и наречиях под ударением пишется НЕ, без ударения – НИ. Если есть предлог, то НЕ и НИ пишутся раздельно.	Мне не́когда. Я никогда там не́ был. Ни у кого́ нет денег.	12
19.	Наречия, образованные от прилагательных, пишутся с -О на конце.	хороший – хорошо	13
20.	Наречия с ПО- на -ЕМУ, -ОМУ, -СКИ пишутся через дефис. Запомните написание: ВО-ПЕРВЫХ, ВО-ВТОРЫХ и т. п.	по-моему, по-русски, в-третьих, в-седьмых	13
21.	Наречия с частицами -ТО, -ЛИБО, -НИБУДЬ, -КОЕ, -ТАКИ пишутся через дефис.	кто-нибудь, всё-таки	13
22.	Частицы БЫ, ЖЕ и ЛИ пишутся раздельно с другими словами	если бы, чуть ли	15
23.	Предлоги ВМЕСТО, ВРОДЕ, НАСЧЁТ пишутся слитно, а В СВЯЗИ С, В ТЕЧЕНИЕ – раздельно.	вместо меня, в связи с болезнью, в течение дня	14

24.	Предлоги ИЗ-ЗА, ИЗ-ПОД пишутся через дефис.	из-под стола, из-за дома	14
25.	Приставки ДО-, ПО-, ОТ-, ПОД-, О-, ОБ-, ПРО-, РАЗО- всегда пишутся через О; приставки ЗА-, НА-, НАД- всегда пишутся через А; приставка С- никогда не меняется.	доехать, отстать, написать, занести, сделать, сбросить	8, 16
26.	Приставка ПРИ- пишется со словами со значением достижения какого-либо места, присоединения, совершения действия не в полном объёме.	приехать, прибить, приоткрыть	16
27.	Приставка ПРЕ- пишется со словами со значением интенсивности действия, признака; ПРЕД- со значением действия, совершаемого заранее; ПЕРЕ- со значениями перемещения, повторного действия и превышения нормы.	преувеличивать, преинтересный, предвидеть, переехать, перечитать, переесть	16
28.	В сложных словах пишутся соединительные гласные О или Е.	самолёт, пешеход	18
29.	Союзы ПОТОМУ ЧТО, ТАК КАК, ТАК ЧТО, ТО ЕСТЬ пишутся раздельно.	Я не был в институте, потому что был болен.	19

Шпаргалка 3. Правила пунктуации

№	Правило	Примеры	Главы
1.	В конце предложения может стоять точка, вопросительный знак, восклицательный знак, многоточие.	Я родилась в Москве. Что с тобой? Как хорошо! Маша молчала...	5
2.	Запятая ставится при перечислении без союзов.	Лена была в Москве, в Омске, в Томске.	6
3.	В простом предложении перед союзами И, ИЛИ не ставится запятая, если союз употребляется один раз. При повторяющихся союзах И... И, ИЛИ... ИЛИ, ТО... ТО, НИ... НИ перед каждым И, ИЛИ, ТО, НИ, кроме первого, ставится запятая.	Я изучаю химию **и** биологию. Я изучаю **и** химию, **и** биологию. Мы хотим поехать в Вену **или** Рим. Мы хотим поехать **или** в Вену, **или** в Рим.	6,7
4.	В сложном предложении перед союзами ЧТО, ГДЕ, КОГДА, КАК, ПОЧЕМУ, ПОТОМУ ЧТО, ЕСЛИ, КОТОРЫЙ, ЧТОБЫ ставится запятая.	Я не знаю, **как** ты можешь ему помочь. Он подошёл к девушке, **которая** стояла около окна, и поздоровался.	8
5.	В предложениях типа *Мой папа – инженер*; *Москва – это столица России* между подлежащим и сказуемым ставится тире.	Моя мама – медсестра. Детство – **это** прекрасный период жизни. Курить – здоровью вредить.	9
6.	Вводные слова и выражения выделяются запятыми (*конечно, правда, кроме того, во-первых* и др.)	**Конечно,** я её люблю. **Может быть,** вы к нам приедете на каникулы?	9

7.	Перед союзами А и НО всегда ставится запятая. В сложносочинённых предложениях запятая ставится перед союзами ОДНАКО, ИЛИ, ТО ЕСТЬ.	Мы поехали домой**,** **а** Коля остался. Он нас звал**, но** мы не услышали. Она учится на юридическом, однако не хочет стать адвокатом.	10
8.	Обращение выделяется запятыми.	**Коля,** приезжай к нам на каникулы! Приезжай**, Коля**! Надеюсь**, Коля,** что ты приедешь.	11
9.	Если предложение со сложным союзом (ПОСЛЕ ТОГО КАК, ПЕРЕД ТЕМ КАК и др.) стоит перед главным, то запятая ставится после придаточного; если предложение со сложным союзом стоит после главного предложения, то запятая ставится перед союзом.	**После того как** я окончу школу, я поступлю в университет. Я поступлю в университет**, после того как** окончу школу.	12
10.	Если два простых предложения соединяются союзом И, перед ним ставится запятая. Исключение: общее обстоятельство; «?» или «!» знак.	Я окончила школу, **и** родители подарили мне новый компьютер. **Этой весной** я окончил школу **и** наша семья переехала в другой город.	13
11.	В сложносочинённом бессоюзном предложении ставится запятая между двумя простыми предложениями, если эти части тесно связаны между собой по смыслу.	Знание иностранного языка упростит ваше общение, вы лучше будете понимать людей и образ их мышления.	14

12.	Двоеточие ставится между частями бессоюзного сложного предложения, если вторая часть разъясняет содержание первой части или указывает основание, причину того, о чём говорится в первой части.	Я знаю точно: надо изучать иностранные языки.	14
13.	В простом предложении двоеточие ставится перед перечислением, часто при наличии обобщающего слова или словосочетания.	Я знаю некоторые иностранные языки: французский, немецкий, китайский и японский.	14
14.	Перед словом, за которым следует частица ЛИ, ставится запятая.	Я не знаю, написала **ли** она письмо маме.	15
15.	После обстоятельств места и времени запятые обычно не ставятся.	**В четверг** мы поедем в Тверь. **В России** осенью идут дожди.	16
16.	Выделяются запятыми уточняющие обстоятельства места и времени.	Именно здесь**, на Тверской,** всегда много людей.	16
17.	Кавычками выделяются: названия литературных произведений, картин, музыкальных произведений; названия СМИ, некоторых бирж, банков, компаний, гостиниц, станций метро, некоторых театров, музыкальных групп.	роман «Анна Каренина», гостиница «Москва», станция метро «Университет»	17

18.	Прямая речь выделяется кавычками или тире.	Старуха говорит: **«Солдат! Когда ж топор будем есть?»** **«Ну как?»** – спрашивает старуха. Старуха спрашивает: – **Солдат! Когда ж топор будем есть?** – **Ну как?** – спрашивает старуха.	18
19.	Цитата оформляется как прямая речь.	**«Голод – лучшая приправа к пище»,** – заметил Сократ.	18

Приложение 3

Тексты диктантов и изложений

ГЛАВА 1. АЛФАВИТ. ЗВУКИ И БУКВЫ.

1-8. Диктант. Допишите слово.

1) мама	3) семь	5) моя
2) папа	4) семья	6) сам

1-17. Диктант. Согласные звуки: твёрдые и мягкие. Слушайте и пишите.

ма-мя	со-се	ба-бя	то-тя
па-пя	со-ся	ра-ря	та-те
са-ся	сэ-се	ро-рэ	

1-18. Диктант. Мягкий знак. Прослушайте и впишите, где надо, пропущенные буквы.

1) пять	6) мять	11) есть	16) попасть
2) спят	7) спать	12) ест	17) братья
3) мать	8) петь	13) сесть	18) семья
4) брать	9) семь	14) месть	
5) брат	10) работать	15) сосать	

ГЛАВА 2. АЛФАВИТ. МОЯ СЕМЬЯ.

2-9. Диктант. Напишите диктант. Расставьте ударения в словах.

1) уро́к	4) Ва́ря	7) у́тро	10) всё
2) у́жин	5) Же́ня	8) университе́т	
3) жить	6) уме́ть	9) и́мя	

2-12. Диктант. Согласные звуки: твёрдые и мягкие. Слушайте и пишите.

ка-ки	нэ-не	жи-же	ву-вё
кэ-ке	ну-ни	ва-вя	во-ве
на-ня	жа-жо	вэ-ве	

2-13. Диктант. Сочетания ЖИ, ЖЕ. Впишите пропущенные буквы.

1) жить	6) ежи	11) бежит	16) женский
2) живу	7) ужин	12) ужинать	17) живопись
3) жена	8) уже	13) Женя	18) житель
4) женат	9) дружить	14) жевать	19) лыжи
5) ёжик	10) жир	15) жив	20) тоже

ГЛАВА 3. АЛФАВИТ. О СЕБЕ.

3-10. Диктант. Напишите диктант. Расставьте ударения в словах.

1) два	4) за́нят	7) Ю́ра
2) шко́ла	5) чуть-чу́ть	8) да́же
3) ча́сто	6) чита́ть	9) юри́ст

3-13. Диктант. Согласные звуки: твёрдые и мягкие. Слушайте и пишите.

да-дя	зу-зю	ла-ля
ду-дю	зо-зё	ло-лё
за-зя	лу-лю	лэ-ле

3-14. Диктант. Сочетания ЖИ-ШИ, ЖЕ-ШЕ, ЧА, ЧУ. Впишите пропущенные буквы.

1) живу	7) тишина	13) лужи	19) стучи
2) уши	8) наши	14) ужин	20) жир
3) шить	9) ваши	15) держи	21) живот
4) ёжик	10) чуть-чуть	16) жизнь	22) шишки
5) кричи	11) молчу	17) дружить	23) бежит
6) хочу	12) пиши	18) чужой	24) лежит

25) час
26) туча
27) дача
28) задача
29) часто
30) женский
31) живопись
32) женат

3-15. Диктант. Мягкий знак. Впишите, где надо, пропущенные буквы.

1) мальчик
2) здесь
3) читать
4) очень
5) осень
6) учусь
7) работать
8) любовь
9) шутить
10) шут
11) теперь
12) встречаюсь
13) платье
14) пью
15) налью
16) брат
17) братья
18) стул
19) стулья
20) десять
21) письмо
22) больше
23) меньше
24) пальто
25) лист
26) листья
27) деревья
28) осенью

ГЛАВА 4. АЛФАВИТ. ЛИЧНАЯ СТРАНИЧКА.

4-11. Диктант. Напишите диктант.

1) щи
2) год
3) хлеб
4) царь
5) футбол
6) цвет
7) хор
8) мой
9) свой
10) был
11) мыл

4-15. Диктант. Сочетания ЖИ-ШИ, ЖЕ-ШЕ, ЧА-ЩА, ЧУ-ЩУ. Впишите пропущенные буквы.

1) рыжий
2) жить
3) выращу
4) свежий
5) малыши
6) поищи
7) ужин
8) притащи
9) уши
10) хочу
11) молчу
12) роща
13) час
14) чаща
15) площадь
16) шесть
17) пищит
18) кричи
19) бежит
20) часто
21) Женя
22) тишина
23) шить
24) больше

4-16. Диктант. Звук Й на письме. Впишите пропущенные буквы.

1) май
2) яма
3) музей
4) мой
5) моя
6) твоя
7) твой
8) яблоко
9) ягоды
10) ёлка
11) юбка
12) язык
13) юмор
14) юг
15) поют
16) знаю
17) мою
18) пьеса
19) пьют
20) стулья

21) объяснить
22) объявление
23) яд
24) здоровье
25) ест
26) семья
27) Юра

ГЛАВА 5. БИОГРАФИЯ.

5-10. Диктант. ЧТ, ЧН, СЧ, ЖЧ, -ОГО, -ЕГО. Впишите пропущенные буквы.

1) моего
2) вашего
3) его
4) что
5) чтобы
6) чтение
7) сегодня
8) старого
9) конечно
10) Удачного дня!
11) красного
12) Всего хорошего!
13) счастье
14) мужчина

ГЛАВА 8. ВАШИ ИНТЕРЕСЫ.

8-13. Диктант. Напишите диктант. Расставьте ударения в словах.

Моё увлечение

Е́сли э́то вам интере́сно, я могу́ немно́го рассказа́ть о свои́х увлече́ниях. Ита́к, начнём. Я безу́мно люблю́ пози́ровать перед фотока́мерой. У меня́ есть колле́кция мои́х фотогра́фий число́м бо́лее 200 штук. Что ещё? Я о́чень люблю́ живо́тных, у меня́ есть симпати́чный бе́лый пуши́стый ко́тик. Кота́ зову́т Уа́йт (White), и я его́ ча́сто называ́ю ласка́тельно Уа́йтик. Также я о́чень люблю́ путеше́ствовать, люблю́ тёплое мо́ре и мно́го со́лнца. Обожа́ю гото́вить и ду́маю, что э́то у меня́ непло́хо получа́ется. А вообще́, я могу́ до́лго перечисля́ть свои́ увлече́ния, потому́ что их о́чень мно́го!

8-16. Диктант. Буквы З и С в приставках и корнях слов. Впишите пропущенные буквы.

1) сделать
2) сдать
3) здравствуй
4) здесь
5) сгореть
6) здоровье
7) сдружиться
8) сзади
9) сдавить
10) сбежать
11) здание
12) здорово
13) сговориться
14) сборник (стихов)

ГЛАВА 9. ДЕТСТВО.

9-11. Диктант с элементами изложения. Прослушайте три раза отрывки из рассказа Тамары о своём детстве. Заполните пропуски. Напишите, что Тамара делала в 8 лет.

Я хочу вам рассказать о своей жизни, а точнее, о некоторых своих воспоминаниях, о детстве.

2 года. Родилась я в Юрмале, а потом мы переехали жить в Ригу. Я всё ещё помню, как мы всей семьёй каждый день гуляли по берегу, помню крик чаек, высокие, стройные зелёные сосны, помню тот прекрасный морской воздух, которого так не хватает в городе...

7 лет. Я стою в белой блузке и в чёрном сарафане. Впервые я чувствую себя так уверенно и гордо, ведь это моя первая школьная линейка. И это означает, что я иду в первый класс рижской 86-й средней школы. Помню, как будущие выпускники школы провожали нас до самого нашего первого класса. Вели нас за руку и дарили нам всем по воздушному шарику!

8 лет. Я впервые пришла на занятие по художественной гимнастике. Это мне показалось интересным. После первого занятия моя мама подошла к тренеру, чтобы поинтересоваться моими успехами. Я думала, что меня похвалят, но всё оказалось намного хуже! Моей маме тренер сказала, что гимнасткой я никогда не буду! Когда я об этом узнала, я очень расстроилась, ведь мне так хотелось быть именно гимнасткой!!! Я уговорила маму, мама уговорила тренера, и я продолжила заниматься!

ГЛАВА 11. СЕМЕЙНЫЕ ПРАЗДНИКИ.

11-11. Диктант с элементами изложения. Прослушайте рекламу фирмы «Праздник» три раза и заполните пропуски. Напишите изложение пропущенной заключительной части, расставьте ударения в словах.

Фирма «Праздник»
Семейные торжества

Ка́ждый семе́йный пра́здник – э́то ли́шний по́вод встре́титься с бли́зкими, живу́щими ино́й раз о́чень далеко́ от нас! Мы помо́жем сде́лать тако́й пра́здник незабыва́емым!

На́ша компа́ния помо́жет провести́ семе́йный ве́чер, юбиле́й, семе́йный пра́здник – как в традицио́нном сти́ле, так и в ду́хе но́вого вре́мени.

День рожде́ния – са́мый люби́мый пра́здник у ка́ждого. В э́тот день вы в це́нтре внима́ния: всё для вас, о вас и то́лько ради ва́с! И ка́ждый раз хо́чется чего́-то осо́бенного, незабыва́емого. Мы организу́ем день рожде́ния и проведём день рожде́ния так, что́бы ожида́ние чу́да оправда́лось.

Юбиле́й – э́то гора́здо бо́льше, чем про́сто день рожде́ния, вы как бы подво́дите черту́ под определённым эта́пом ва́шей жи́зни. Э́то собы́тие сто́ит отме́тить с больши́м разма́хом и осо́бой торже́ственностью.

Для того́ что́бы любо́е торжество́, вечери́нка, дснь рожде́ния, юбиле́й и́ли па́мятный день ва́шей семьи́ удали́сь на сла́ву, на́до тща́тельно к нему́ подгото́виться. И мы с удово́льствием вам в э́том помо́жем!

ГЛАВА 13. РАБОТА.

13-9. Изложение

Михаи́л Ве́ллер
Тест

Когда Генке исполнилось семь лет, мама повела его на тест на профнаклонность. Генка не боялся и не переживал, как другие. Он знал, что будет моряком. Когда настала его очередь, Генка независимо вошёл в кабинет.

– Садись, орёл! – сказал доктор. Он повернул зелёный рычажок. Машина тихонько загудела и выбросила карточку.

– Резчик по камню. У тебя огромнейшая способность. Раньше был этот мальчишечка... Шарапанюк... сто восемьдесят. А у тебя – сто девяносто два, а? Талант...

– Чудесно, сынок, – сказала мама, когда Генка вышел из кабинета. – Пойдем с тобой сейчас в художественную школу.

– Я пойду в мореходку, – ответил Генка непримиримо и заплакал. Директор мореходки, взяв его профкарточку, с некоторым недоумением посмотрел на Генку, потом на маму.

– Ему надо в художественную…

Мама помялась и развела руками:

– Он хочет... Мечтал... Ему жить.

– Что ж, – сказал директор. – Мы возьмём тебя, конечно, но тебе придётся трудно, друг мой. Очень трудно.

Через неделю Генка понял, что такое профнаправленность. Он был последним учеником до третьего класса. В третьем он передвинулся в таблице успеваемости на две строки вверх. А окончил мореходку десятым по успеваемости и поступил в Высшее мореходное училище. В тридцать девять лет он стал капитаном трансатлантического лайнера. Единственный во флоте капитан лайнера без профнаклонности. В сорок семь лет капитан флотилии, он сошёл с корабля во Владивостоке.

Дворец был вписан в набережную, как драгоценность в оправу. Линии его были естественны и чисты. Экскурсовод произносил привычный текст: «...уникальный орнамент... международная премия... потомки...»

Капитан помнил фамилию, названную гидом. Она держалась в его памяти с того дня, того, главного дня, когда он смог... смог вопреки судьбе... Это была фамилия того мальчишки, у которого было сто восемьдесят в то утро, а у него сто девяносто два. Шарапанюк была его фамилия.

Корабль уходил в море ночью. Капитан стоял на мостике.

– Я лучший капитан пароходства, – сказал капитан и закурил.

ГЛАВА 16. ГОРОД.

16-7. Изложение. Прослушайте рассказ о поездке в Москву и закончите предложения.

Москва

Далеко не каждый россиянин был хотя бы раз в Москве. Вот и я, к сожалению, в Москве оказалась впервые, и то проездом. На посещение столицы у меня был день. Заранее маршрут не планировался, всё было спонтанно и зависело от погоды и от настроения. С погодой повезло, поэтому я решила прогуляться по центру города и заглянуть в самое его сердце – Красную площадь.

Красная площадь оказалась меньше, чем я ожидала, зато поразило большое количество иностранцев и приезжих из других городов нашей родины. Царила дружелюбная атмосфера, туристы фотографировались и осматривали достопримечательности: Кремль, храм Василия Блаженного, мавзолей Ленина.

16-9. Диктант. Правописание приставок. Слушайте и пишите.

1) уехать
2) сделать
3) разойтись
4) пропустить (занятие)
5) дописать (письмо)
6) написать
7) перечитать (книгу)
8) переехать (в Москву)
9) предсказать (погоду)
10) поесть
11) войти
12) предупредить
13) отойти (от стола)
14) поднять
15) подбросить
16) надоесть
17) подобрать
18) заехать (за другом)
19) зайти (в дом)
20) надеть

ГЛАВА 17. КАК ДОЕХАТЬ И ГДЕ ОСТАНОВИТЬСЯ.

17-6. Изложение. Прослушайте сообщение на автоответчике три раза и напишите изложение. Используйте слова и выражения, близкие к тому, что вы услышали, сохраните структуру изложенного текста.

Вас приветствует информационно-справочная служба аэропорта Внуково! До аэропорта Внуково вы можете доехать от станции метро «Юго-Западная» на городском рейсовом автобусе № 611 или № 611с (экспресс). Время в пути – 25–30 минут. Билеты можно приобрести в билетной кассе у остановки либо у водителя. На данном маршруте также действует единый проездной билет. Автобус № 611 следует со всеми промежуточными остановками, а № 611с делает промежуточные остановки только по требованию пассажиров. Проезд до остановки «Аэропорт». Стоимость проезда – 25 рублей.

От станции метро «Юго-Западная» вы можете доехать до аэропорта Внуково также на маршрутном такси № 45. Комфортабельные микроавтобусы Ford доставят вас в аэропорт Внуково всего за 15–20 минут. Стоимость проезда – 70 рублей и 10 рублей за каждое дополнительное багажное место.

Вы можете доехать до Внукова также от станции метро «Октябрьская» на маршрутном такси № 705м. Время в пути – 35–40 минут. Автобусы следуют по всему Ленинскому проспекту и делают промежуточные остановки по требованию пассажиров. Стоимость проезда в аэропорт – 100 рублей и 10 рублей за каждое дополнительное багажное место.

ГЛАВА 19. ГОТОВИМ САМИ?

19-13. История салата «Оливье». Прослушайте рассказ об истории салата «Оливье». Запишите основную информацию и ключевые слова. Напишите изложение этого рассказа.

Салат «Оливье», который называют ещё салат «Столичный», – самое популярное блюдо русского праздничного стола. Как говорят, этот салат изобрёл в 60-е годы XIX века повар-француз Люсьен Оливье – владелец французского ресторана «Эрмитаж», который в те времена находился на Трубной площади в Москве. Главной достопримечательностью кухни сразу же стал салат «Оливье». В этом салате было много ингредиентов, которые исчезли после революции 1917 года, например чёрная икра и каперсы. Постепенно стали употреблять другие продукты, такие как картофель, морковь, зелёный горошек. Все ингредиенты мелко нарезались и заправлялись майонезом. Рецепт менялся, но салат оставался популярным. И сегодня на праздничном столе вместе со многими другими закусками можно всегда увидеть салат «Оливье».

ГЛАВА 20. ПУТЕШЕСТВИЯ.

20-13. Изложение. Три раза прослушайте отрывок из рассказа Антона Павловича Чехова «Мальчики». Во время слушания записывайте ключевые слова и выражения.

Пояснение: действие происходит в начале XX века, когда ещё не было телевизора и самолётов. Володя приезжает домой на каникулы и привозит с собой друга по фамилии Чечевицын. Мальчикам 12–13 лет.

А.П. Че́хов
Ма́льчики

Утром Володя и Чечевицын раскрыли географический атлас и стали рассматривать какую-то карту.

– Сначала в Пермь... – тихо говорил Чечевицын. – Оттуда в Тюмень... потом Томск... потом... потом... в Камчатку... Отсюда самоеды перевезут на лодках через Берингов пролив... Вот тебе и Америка... Тут много пушных зверей.

– А Калифорния? – спросил Володя.

– Калифорния ниже... Лишь бы в Америку попасть, а Калифорния не за горами. Добывать же себе пропитание можно охотой и грабежом.

То, что мальчики постоянно шептались, и то, что Володя не играл, а всё думал о чём-то, – всё это было загадочно и странно. Володины сёстры, Катя и Соня, стали зорко следить за мальчиками. Один раз девочки подслушали их разговор. О, что они узнали! Мальчики собирались бежать куда-то в Америку добывать золото; у них для дороги было уже всё готово: пистолет, два ножа, сухари, увеличительное стекло для добывания огня, компас и четыре рубля денег. Они узнали, что мальчикам придётся пройти пешком несколько тысяч верст, а по дороге сражаться с тиграми и дикарями, потом добывать золото и слоновую кость, убивать врагов, поступать в морские разбойники, пить джин и в конце концов жениться на красавицах и обрабатывать плантации. Себя Чечевицын называл при этом так: «Монтигомо Ястребиный Коготь», а Володю – «бледнолицый брат мой».

– Ты смотри же, не говори маме, – сказала Катя Соне. – Володя привезёт нам из Америки золота и слоновой кости, а если ты скажешь маме, то его не пустят.

20-17. Диктант. Слушайте и вписывайте пропущенные слова. Расставьте знаки препинания и ударения в словах.

В свадебное путешествие – на Международную космическую станцию (МКС)

Любая пара молодожёнов, у которой найдётся 40 миллионов долларов, может теперь отправиться в свадебное путешествие на МКС.

Как сообщили НТВ в Росавиакосмосе, вариант отправки сразу двух туристов на одном корабле уже предусмотрен в планах развития космического туризма. Правда, есть дополнительные условия.

Желающим провести часть медового месяца на орбите нужно будет доказать, что они не имеют вредных привычек, не состоят в террористических организациях и что деньги получены легально.

Минимальный курс подготовки к космическому полёту составит 8–10 месяцев. За это время кандидаты проходят испытания на центрифуге, тренинг на психологическую совместимость и курс выживания в экстремальных условиях.